LA GRANDE BIBLIOTHÈQUE

LES PUBLICATIONS DU QUÉBEC
1500D, rue Jean-Talon Nord, Sainte-Foy (Québec) G1N 2E5
VENTE ET DISTRIBUTION
Téléphone : 418 643-5150 ou, sans frais, 1 800 463-2100
Télécopieur : 418 643-6177 ou, sans frais, 1 800 561-3479
Internet : www.publicationsduquebec.gouv.qc.ca

Coordination de la production : Martine Lavoie

Conception graphique : Jean-François Lejeune

Révision et correction : Nicole Raymond

Les photographies de ce livre ont été prises par le photographe Bernard Fougères assisté de
Mᵐᵉ Nadine Brodeur et de M. François Desmarais, à l'exception des photos apparaissant sur les pages suivantes :

■ Pages 8, 16 à 22, 24 à 27 : Ville de Montréal. Gestion de documents et archives.
  (VM94-Z45), (VM94-U442), (VM94-U442), (VM94-Z1870), (VM94-U1503), (VM94-U4338), (VM94-U1503)

■ Pages 23, 30-31,33 : Pierre Perreault, BAnQ

■ Page 29 : Fonds Saint-Sulpice. Album 1915

■ Page 65 : Michel Brunelle

■ Page 73 : Jean-Christophe Ballot/BnF, Alain Goustard/Bnf, Architecte D. Perrault, copyright ADAGP 2006

■ Pages 75, 105 : Hervé Lalo

Catalogage avant publication de Bibliothèque et Archives Canada

Lefebvre, Michèle, 1964 5 juil.-

  La Grande Bibliothèque

  ISBN 2-551-19723-6

  1. Bibliothèque et Archives nationales du Québec. 2. Bibliothèque et Archives nationales du Québec - Ouvrages illustrés.

  I. Dubois, Martin, 1970-   . II. Titre.

Z736.B5L43 2006   027.5714   C2006-940519-0

Dépôt légal — 2006

Bibliothèque et Archives Canada

Bibliothèque et Archives nationales du Québec

ISBN 2-551-19723-6

© Gouvernement du Québec

LA GRANDE BIBLIOTHÈQUE

Textes de Michèle Lefebvre et Martin Dubois
Photographies Bernard Fougères

LES PUBLICATIONS DU QUÉBEC

Québec

Un espace de liberté

PRÉFACE

LISE BISSONNETTE

Une ruelle, un boulevard urbain, une station centrale d'autobus, des autocars qui sillonnent le territoire québécois. Au-dessous, une station centrale de métro. Au-dessus, le ciel porteur d'ondes. Les chemins de tout un chacun mènent aisément à la Grande Bibliothèque de Bibliothèque et Archives nationales du Québec (BAnQ), dont les aires sont une invitation à tous les voyages. Le temps est venu d'en ouvrir les multiples portes.

Nous voici au printemps 2005. Combien d'années aura-t-il fallu pour atteindre ce commencement réel ? Huit, si l'on compte à partir du début des travaux du premier comité chargé de définir le projet ; cinq, si l'on compte à partir du concept final proposé au concours d'architecture ; trois, si l'on compte à partir du début des travaux de construction. Un rythme de notre époque où les nouvelles institutions ne peuvent plus être décrétées. Elles naissent dans le débat, la controverse, l'examen, le calcul, l'inquiétude, le questionnement, le réexamen et peu de foi. Et il arrive qu'elles voient le jour, parfois même l'enchantement du jour.

Cet ouvrage parle en images et en mots du bâtiment qui a mobilisé l'attention publique. Mais on saisira vite, et enfin, que ce bâtiment est d'abord la traduction d'une idée de la bibliothèque, aujourd'hui au cœur de la cité, la cité montréalaise et la cité québécoise qu'elle doit servir et animer. Une idée tissée d'autres idées, toutes nées de besoins et de fonctions d'abord disparates, qui se sont agglomérées petit à petit dans l'ordre et avec un certain naturel, parce qu'elles correspondaient aux exigences de notre temps.

Le besoin a été le premier déterminant. Les maisons étaient devenues exiguës. La Bibliothèque nationale du Québec, après avoir édifié ses exemplaires lieux de conservation du patrimoine, allait vainement de projet d'édifice en projet d'édifice pour l'accueil de ses publics. La Bibliothèque centrale de Montréal expédiait dans le sommeil des réserves les deux tiers de ses collections dont certaines étaient de véritables trésors glissant progressivement dans l'oubli. Les « petites » bibliothèques du Québec, au nom desquelles on s'est tant opposé à la « grande », avaient besoin d'un point d'appui pour offrir à leurs lecteurs les richesses infinies de la bibliothèque virtuelle qui s'amorçait, et où on ne peut entrer en rangs dispersés.

Dès qu'on additionne de tels besoins, la taille s'impose, elle doit être grande. Mais l'addition cesse vite d'aboutir à une mosaïque, les parentés de fonctions s'emboîtent, une idée plus forte s'installe. La première législation, celle qui créait la Grande bibliothèque du Québec en 1998, n'était déjà plus un collage. Elle proposait et définissait une institution de diffusion des patrimoines de la Bibliothèque nationale et de la Bibliothèque centrale tout en chargeant cette notion de diffusion d'une mission autre-

Bibliothèque municipale de Montréal, rue Sherbrooke Est.

ment plus lourde. Ne créez pas de simples canaux, disait-elle, débrouillez-vous pour qu'ils soient de véritables outils de démocratisation culturelle. Nous n'étions plus dans l'ordre des besoins, mais dans celui du sens même de la nouvelle institution. Terreau de créativité abondante, le Québec est encore incapable d'offrir à ses enfants toutes les nourritures culturelles.

L'addition suivante viendra de soi. On ne saurait démocratiser l'accès à des biens sans lien avec leur source. La loi de 2002 qui fusionnera la Grande bibliothèque du Québec et la Bibliothèque nationale du Québec pour donner ce que nous appellerons quelque temps entre nous la « nouvelle Bibliothèque nationale du Québec » a rétabli le lien. Non seulement l'institution mettra en ligne et en valeur les richesses supérieures d'une BNQ jusqu'alors mieux connue des chercheurs étrangers que de nos concitoyens, mais elle aura aussi la charge du développement de ces richesses, en amont. Car conserver ne veut pas dire entreposer — ceux qui rassemblent le patrimoine travailleront désormais étroitement avec ceux qui le font connaître et l'ancienne BNQ, du coup, deviendra alors un lieu de recherche scientifique et

didactique. En attendant l'addition qui, au début de 2006, avec l'arrivée des Archives nationales au sein de l'institution, créera un lien ininterrompu entre chaque parcelle de notre mémoire et entre chaque individu qui voudra la butiner ou la cueillir, à partir des multiples portes d'entrée d'une maison unique.

Nationale et publique, BAnQ a trouvé sa cohérence et, sans trop s'en rendre compte, a cheminé d'une addition à l'autre à la rencontre des futurs qui se dessinent partout dans le monde à l'aide des technologies, mais encore dans une certaine confusion.

Pour rejoindre chaque citoyen de notre vaste territoire et pour créer avec les bibliothèques le « réseau des réseaux » qui permettra de faire circuler les richesses littéraires et documentaires nationales autant qu'internationales, la Grande Bibliothèque abrite le centre nerveux d'une puissante architecture électronique de diffusion et de conservation de données culturelles. Pendant qu'on cause de colloques en sommets de la société de l'information, la bibliothèque est la seule, dans toutes les cités du monde, à organiser librement et gratuitement l'entrée de tous dans cet univers surtout

maîtrisé jusqu'à maintenant par les intérêts économiques qui le développent ou par des aficionados talentueux, ravis par la technique et peu préoccupés de contenus. Ce n'est pas un hasard si c'est vers la bibliothèque que leurs métamoteurs se tournent désormais pour trouver du sens et du contenu à mettre en ligne, leurs jeux s'épuisent. Pour une fois, au Québec, nous serons outillés pour conduire ce train et non le prendre en marche, en passagers ballottés entre les courants venus d'Amérique et d'Europe. La nouvelle BAnQ en fait déjà partie, y contribue, parfois y innove.

Mais ce qui compte le plus, c'est sa capacité d'accueillir l'enfant, l'adolescent, l'adulte du temps présent. Le vieux rêve de faire de l'école un « milieu de vie » migre désormais avec beaucoup plus de bonheur et de succès dans les nouvelles bibliothèques. Les petites, les moyennes, les grandes et la très grande, quand elles se transforment ou se construisent, sont désormais des maisons. On peut y être seul — entièrement ou avec d'autres —, on peut s'y détendre ou apprendre, on peut fureter ou s'y concentrer, on peut lire ou étudier, on peut y creuser une réflexion ou s'évader de ses problèmes.

On le fait avec l'aide de personnes, si l'on veut, ou par la grâce des espaces, comme l'on veut. Quoi qu'en disent les passéistes, nos sociétés ne recréeront jamais les liens familiaux et sociaux de notre ancien tissage serré, disparu pour le meilleur ou pour le pire. Notre temps, et celui qui vient, réclament d'autres façons d'être ensemble et aucune institution ne le permet mieux que la bibliothèque, puisqu'elle est la seule à proposer une visite libre, en écho à des vies qui doivent demeurer libres.

C'est ce que nous avons demandé à nos lieux de dire et d'incarner. Un espace de liberté n'est pas un bazar où l'on pige au gré de l'offre, la bibliothèque n'est pas un centre commercial. La visiter a un sens, le lieu doit dégager un appel clair au voyage culturel, même quand on y est entré un court instant pour trouver une simple information. La magnifique nef de la collection québécoise, la salle d'exposition ouverte et claire, le chemin de promenade en pente et glissière autour des savoirs, agissent comme des aimants, retiennent et proposent mieux, toujours mieux et plus. Les membranes du bâtiment se superposent du verre au béton au bois, pour envelopper le lecteur et l'acte de lire, pour qu'il soit juste et bon. La lumière, partout invitée, connaît et communique toutes les variantes des Lumières.

Les architectures d'aujourd'hui, du moins les plus réfléchies, nous invitent à choisir entre deux pôles. L'un affirme le chaos sinon le désarroi du monde et s'en fait le messager : surgissent par lui dans la ville des structures tourmentées ou chavirées, dont la douloureuse beauté appelle tous les sens aux aguets. L'autre dessine un contrepoint à l'angoisse, écarte les lianes de la jungle urbaine, s'y dépose comme une promesse indéfinie mais réelle. Deux utopies, certes, et d'égal attrait. Le jury en a débattu et ce n'est pas à l'unanimité qu'il a ancré la Grande Bibliothèque au deuxième pôle, à ne pas confondre avec le calme plat des oasis.

Souvenons-nous ici des chambres de bois, empruntées par nos architectes au limpide et cruel roman de Anne Hébert, qui accueillent l'une la Collection nationale et l'autre la collection de prêt public. Dans ce texte de 1958, à la toute veille de la Révolution tranquille, l'écrivaine en faisait la métaphore de l'enfermement sur « des choses tombées, des choses perdues, des choses salies, des choses sans maître », le passé étant prison. Édifier des chambres de bois autour des choses retrouvées, des choses conquises, des choses éclairées et des choses enfin enseignées devient un programme dont nous n'abordons que le commencement. On entre dans les chambres de bois pour apprendre à en sortir.

Dehors, la bibliothèque au derme de givre, au teint de glacier, renvoie aux fragilités du vivre ensemble. Dedans, dehors, dans le silence des ondes qui la portent désormais partout au Québec et au-delà, elle est poésie. Comme elle en a le premier devoir.

Le 30 avril 2005, ouverture de
la Grande Bibliothèque au public.

CHAPITRE I

La Grande Bibliothèque

MICHÈLE LEFEBVRE

une réponse de l'histoire

ien que la décision de construire une Grande Bibliothèque à Montréal ait été perçue comme soudaine par le grand public, elle est en réalité le fruit d'une longue maturation.

Proposée en premier lieu pour offrir un accès élargi à la Collection patrimoniale de la Bibliothèque nationale du Québec et à la Collection universelle

Bibliothèque municipale de Montréal —
Salle Gagnon — Magasin, 20 avril 1976.

de prêt et de référence de la Bibliothèque centrale de Montréal, elle résulte de problèmes aigus liés aux édifices abritant ces collections. D'une part, ceux-ci n'étaient plus suffisants pour contenir les immenses collections des deux institutions. D'autre part, la Bibliothèque Saint-Sulpice et la Bibliothèque centrale de Montréal, deux joyaux architecturaux du début du XXe siècle, n'avaient pas été conçues pour permettre le libre accès aux collections, ni pour recevoir les infrastructures informatiques actuelles. Elles n'offraient pas non plus les possibilités d'aménagement nécessaires à la conservation des documents dans des conditions optimales. La Grande Bibliothèque répond également à la nécessité maintes fois réitérée par les milieux documentaires de créer un organisme national de coordination et de concertation pour les bibliothèques publiques. Des services gouvernementaux de soutien aux bibliothèques ont bien été créés, mais seulement pour être ensuite abolis au gré des restructurations de l'État. Une organisation autonome, ancrée dans la réalité des milieux documentaires, présente une stabilité et une expertise essentielles à une réussite à long terme.

Tout comme remonter le fil du passé aide à mieux démêler l'écheveau du présent, retracer l'histoire de la Bibliothèque de Montréal et de la Bibliothèque nationale du Québec permet de mieux comprendre l'acte de naissance de la Grande Bibliothèque.

Bibliothèque municipale de Montréal, [193–].

LA BIBLIOTHÈQUE MUNICIPALE DE MONTRÉAL, UN « PALAIS DU LIVRE »

UN DÉPART DIFFICILE

Après quelques faux départs, Montréal obtient enfin en 1903 sa première bibliothèque publique. L'opposition acharnée du clergé, qui se méfie de lectures qu'il n'est pas en mesure de contrôler, et l'indifférence des anglophones du conseil de ville, déjà desservis par d'autres bibliothèques, expliquent ce départ lent et difficile, dans une Amérique du Nord ailleurs bien pourvue en bibliothèques publiques. Pour une partie des Montréalais, « une bibliothèque, c'est une chose de luxe[1] ».

En fait, la nouvelle Bibliothèque civique de Montréal ne représente qu'une solution de compromis. Bibliothèque scientifique et technique, d'où toute littérature est bannie, elle est logée dans des locaux exigus au Monument national. Cependant, sous la pression de la clientèle mais aussi de son propre chef, la première bibliothécaire, Éva Circé-Côté, élargit bientôt le choix de livres aux domaines historique, artistique et littéraire. Voltaire, Rousseau, Balzac et Sand font leur entrée à la Bibliothèque, malgré la désapprobation du clergé.

En 1910, la Ville de Montréal acquiert une collection d'une richesse exceptionnelle, celle du collectionneur Philéas Gagnon. Celui-ci a en effet amassé durant 30 ans des ouvrages précieux portant principalement sur l'histoire et la géographie de l'Amérique française, dont un nombre considérable d'incunables canadiens, publiés entre 1764, date du début de l'imprimerie au Québec, et 1820. La Bibliothèque se donne une nouvelle orientation.

Les quelque 12 500 pièces recensées sont cependant entreposées dans les chambres fortes de la Royal Trust, faute de place dans les locaux de la Bibliothèque. Un premier déménagement dans des espaces plus vastes à l'École technique de

Montréal, en 1911, ne permet toujours pas d'offrir l'impressionnante Collection Gagnon au public.

C'est à ce moment que la Ville, grâce à la détermination de l'échevin Victor Morin, s'engage à construire un véritable monument pour loger la Bibliothèque. L'édifice, situé rue Sherbrooke, en face du parc La Fontaine, est dessiné par l'architecte Eugène Payette, qui vient tout juste de concevoir la Bibliothèque Saint-Sulpice. La

bibliothèque de style Beaux-Arts, à la façade rythmée de colonnes en granit, se pare de magnifiques vitraux présentant les grandes figures de l'histoire française au Canada et d'une frise intérieure mettant à l'honneur les plus illustres écrivains du monde. Vers 1930, un des conservateurs de la Bibliothèque, Félix Desrochers, fera réaliser par l'artiste Hector Végiard, au plafond d'une des salles, une magnifique fresque allégorique sur la musique, ornée de médaillons représentant François-Xavier Garneau, Molière,

Shakespeare et le maréchal Joffre, qui inaugure la Bibliothèque en 1917.

Ce véritable « palais du livre » abritera la Bibliothèque centrale de Montréal durant près d'un siècle. D'une capacité de 400 000 documents, mais ouverte au public avec seulement 25 000 livres, elle sera longtemps appelée la *library without books* (la « bibliothèque sans livres »).

Les conservateurs successifs, parmi lesquels on retrouve Hector Garneau et Ægidius Fauteux, veillent à rassembler une collection d'ouvrages courants, mais également une collection de type patrimonial, noble préoccupation dans un Québec où aucune institution ne joue encore le rôle d'une bibliothèque nationale. On poursuit donc l'enrichissement de la collection Gagnon par l'acquisition d'un large pan de l'édition québécoise. On procède à l'acquisition de collections précieuses, notamment avec les livres rares de Fauteux et les albums Viger et Duncan-Viger. L'ensemble des publications gouvernementales fédérales en français et en anglais soumises au programme de dépôt depuis sa création en 1927, ainsi qu'une importante collection de publications produites par la Ville de Montréal, sont aussi conservées. Aujourd'hui, la collection compte au-delà de 11 000 ouvrages datant d'avant 1900.

L'essor de la Bibliothèque est cependant freiné par un manque d'intérêt de la part des autorités

Bibliothèque municipale de Montréal,
rue Sherbrooke Est, 1917.

municipales et provinciales. La faiblesse des subsides accordés ne permet pas d'éliminer le dépôt obligatoire pour le prêt, allant de 3 $ à 6 $. Au début des années 1930, en pleine crise économique, alors que la lecture devrait être pour la population appauvrie et désœuvrée une occupation abordable, elle demeure pour beaucoup inaccessible. La bibliothèque majoritairement anglophone et gratuite du Fraser Institute, trop populaire, doit refuser des lecteurs tandis que la fréquentation de la Bibliothèque de Montréal plafonne.

UNE EXPANSION DYNAMIQUE

Durant la Seconde Guerre mondiale, les bibliothèques du Québec demeurent sous-développées, mais le milieu de l'édition croît rapidement et se dynamise, prenant le relais d'une édition française bâillonnée par l'Occupation allemande. Sous l'impulsion de Léo-Paul Desrosiers, conservateur dynamique de 1941 à 1952, la Bibliothèque de Montréal prend une nouvelle expansion. Diverses mesures sont adoptées pour élargir l'accès au livre et à la lecture.

Dès 1941, une bibliothèque pour enfants, un concept novateur, est ouverte dans l'édifice de la rue Sherbrooke. On espère ainsi attirer une nouvelle clientèle, mais surtout la fidéliser en créant des habitudes de lecture durables. Expérience nouvelle, la Bibliothèque civique demeure ouverte durant l'été de 1942, pour le plus grand bonheur des lecteurs qui la fréquentent en grand nombre. L'année suivante, l'abolition du dépôt obligatoire pour le prêt des documents a également un effet immédiat : en quelques mois, le nombre d'abonnements quadruple et l'achalandage double, preuve s'il en faut que la gratuité des services est un élément essentiel au développement des bibliothèques publiques.

Pour rapprocher le livre du lecteur, on inaugure à partir de 1947 des bibliothèques de quartier, pour jeunes et pour adultes. Les gens s'intéressent de plus en plus au livre mais aussi à la culture sous d'autres formes, ce qui incite la Bibliothèque

À gauche, édifice de l'Institut Canadien, rue Notre-Dame à Montréal,
dont la riche bibliothèque fut rachetée par le Fraser Institute.
À droite, entrée extérieure de la bibliothèque du Fraser Institute, rue Dorchester à Montréal.

centrale à installer dans ses murs une cinémathèque dès 1947.

Les enfants croisent les adultes, les abonnés aisés voisinent les plus démunis et l'imprimé côtoie de nouveaux supports dans cette vision élargie de la Bibliothèque. Elle exige déjà un espace plus vaste et s'adresse à une clientèle éclatée. Le mouvement d'expansion s'accélère, de telle sorte qu'à partir de 1956, la circulation annuelle des documents dépasse le million. On observe que les goûts et les besoins des clientèles se sont diversifiés : en 1927, les romans constituaient 65 % des emprunts contre 30 % en 1959.

La Ville de Montréal se trouve alors dans une situation privilégiée par rapport au reste du Québec[2] qui souffre, bien que de façon inégale, de l'absence d'une législation organique sur les bibliothèques et de l'insuffisance des subventions, deux conditions nécessaires à un développement adéquat des bibliothèques publiques.

LA RÉVOLUTION TRANQUILLE ET L'EXPLOSION DES BIBLIOTHÈQUES PUBLIQUES

La première véritable *Loi sur les bibliothèques publiques* est enfin adoptée en décembre 1959. L'époque du repli sur soi s'achève; la culture québécoise s'épanouit et la bibliothèque en est un des hérauts. L'éducation doit fournir les outils permettant aux francophones de prendre en main le destin du Québec. La bibliothèque publique gratuite, en contribuant à l'égalité des chances, devient un instrument d'ascension sociale.

Jusqu'au milieu des années 1980, les Québécois sont témoins de la marche accélérée des bibliothèques. Durant les années 1960, le ministère des Affaires culturelles, par divers moyens d'action et en s'assurant de la collaboration de partenaires-clés, lance un vaste mouvement. Un effort d'accessibilité à la lecture pour tous et de promotion du livre marque la décennie suivante. C'est un pas de plus vers la démocratisation du savoir dans une société sans cesse plus complexe. La première moitié des années 1980 voit quant à elle pousser bon nombre de nouvelles bibliothèques grâce au Plan Vaugeois, qui vise à améliorer la qualité des locaux et des services de bibliothèques.

Dans ce contexte d'expansion, la Bibliothèque centrale de Montréal commence à éprouver des problèmes d'espace. En 1963, et malgré l'ajout d'une aile à l'édifice la même année, la conservatrice adjointe de la Bibliothèque, Juliette Chabot, écrit : « la bibliothèque de Montréal [...] voit son essor considérablement retardé à cause du manque d'espace[3] ».

En effet, l'évolution du concept de bibliothèque publique, en même temps que l'augmentation des collections, s'est traduite par un besoin accru d'espace dans l'édifice de la rue Sherbrooke : ajout de la bibliothèque jeunesse et de la cinémathèque, multiplication du personnel nécessaire à la bonne marche du réseau de bibliothèques, etc. La bibliothèque craque de partout. On finira par déménager la cinémathèque, le personnel technique et administratif et une partie importante des collections plus anciennes dans d'autres bâtiments, le problème d'espace devenant toujours plus aigu.

Un rapport commandé par le ministère des Affaires culturelles en 1975 pour « formuler un plan de développement pour les bibliothèques de la métropole[4] » estime nécessaire la construction d'une vaste bibliothèque centrale pour Montréal. Malheureusement, le projet ne se concrétise pas et la Ville doit louer en 1984 des locaux à quelques mètres de la Bibliothèque pour loger une Centrale-annexe qui offre la portion grand public de la collection. On ouvre l'année suivante une

Bibliothèque municipale de Montréal — Hall, 13 octobre 1987.

Bibliothèque municipale de Montréal — Hall —
Vue de la mezzanine, 20 avril 1976.

Phonothèque de prêt sur le Plateau Mont-Royal. La Bibliothèque centrale s'impose de plus en plus en tant que bibliothèque de recherche et de généalogie. La situation géographique de l'édifice, assez peu irrigué par le transport en commun et les activités urbaines, freine cependant son utilisation.

UN CONTEXTE DE RATIONALISATION

On assiste à un désengagement de l'État québécois pour les bibliothèques à partir de la seconde moitié des années 1980 : le Service des bibliothèques disparaît, un moratoire sur la construction de bibliothèques est imposé et les bibliothèques connaissent une baisse de leurs subventions gouvernementales.

Un comité d'étude est alors formé pour orienter une nouvelle politique d'intervention. Le rapport[5] qui en résulte fait état du chemin parcouru durant les 25 dernières années et recommande au gouvernement québécois de renforcer son implication, car le rattrapage du Québec en matière de bibliothèques publiques n'est pas complété. Le soutien attendu n'arrive pas : la Direction du livre, de la lecture et des bibliothèques publiques, créée en 1989, est abolie en 1994 ; en 1992, la *Loi sur les bibliothèques publiques,* pourtant insuffisante, est remplacée par sept articles dans la loi qui crée le ministère de la Culture et des Communications.

Le contexte n'est pas favorable aux grandes constructions ; cependant, devant l'urgence de la situation de la Bibliothèque centrale, le Comité exécutif de la Ville l'inscrit en 1989

Bibliothèque municipale de Montréal —
Salle de lecture, 20 avril 1976.

comme prioritaire sur une liste d'équipements culturels municipaux. Une réflexion s'amorce dès le début des années 1990 avec deux études : une première pour déterminer un emplacement favorable à la construction d'une nouvelle bibliothèque et une deuxième sur les clientèles de la Bibliothèque centrale. Cette dernière révèle que la Bibliothèque, qui possède près de la moitié des documents du réseau, dessert 17 % des abonnés et engendre 21 % des prêts. Dans une proportion de 50 %, sa clientèle provient du quartier.

À cause de fissures apparues dans certains planchers, la Bibliothèque doit fermer ses portes en 1993 pour des travaux de rénovation majeurs qui dureront trois ans. Les restrictions budgétaires touchent durement la Bibliothèque de Montréal, qui se résigne à fermer sa cinémathèque, puis la Centrale-annexe, et à réduire les heures d'ouverture de la Phonothèque.

En mai 1996, un rapport du Comité sur la Bibliothèque centrale de Montréal recommande un éventuel aménagement au centre-ville pour la Bibliothèque. Dans l'immédiat, pour pallier la situation, le Comité préconise l'ouverture au centre-ville d'un avant-poste de la Bibliothèque centrale, axé notamment sur une bibliothèque électronique, un centre emploi-carrière, un service aux adolescents et une phonothèque.

C'est à ce moment que les chemins de la Bibliothèque de Montréal et de la Bibliothèque nationale du Québec se croisent...

LA BIBLIOTHÈQUE NATIONALE DU QUÉBEC, LE « TEMPLE DU SAVOIR »

LA BIBLIOTHÈQUE SAINT-SULPICE

Depuis le milieu du XIXe siècle, les Messieurs de Saint-Sulpice offrent à la population la possibilité d'enrichir sa culture par la lecture de « bons livres » en lui donnant accès à une bibliothèque. Les fondateurs de l'Œuvre des bons livres (1844) puis du Cabinet de lecture (1857) finissent cependant par se sentir à l'étroit dans leur édifice du Vieux-Montréal, près de l'église Notre-Dame. S'associant à l'Université Laval à Montréal, qui partage leur besoin d'agrandissement, ils conviennent en 1910 de faire construire une nouvelle bibliothèque dans le Quartier latin ; son concept hybride n'est pas sans rappeler celui de la Grande Bibliothèque. Le bâtiment abritera en effet

une bibliothèque de recherche universitaire, mais également une bibliothèque de lecture publique, pour contrer l'influence de la Bibliothèque civique de Montréal, sur laquelle le clergé n'a aucun contrôle.

L'architecte Eugène Payette est choisi pour concevoir l'édifice. La richesse architecturale du bâtiment, de style Beaux-Arts, ainsi que l'intelligence et la modernité de son aménagement, pour l'époque, sont remarquables. Dans un décor

Édifice de la Bibliothèque Saint-Sulpice, rue Saint-Denis, à Montréal, en 1915.

classique harmonieux, des zones aux usages bien définis modèlent l'espace : salle de lecture, magasins de livres, locaux de services, salles de spectacle, d'exposition et de réception. De magnifiques vitraux dépeignent les Arts, la Religion et les Sciences et présentent des armoiries françaises, québécoises et canadiennes. La Bibliothèque Saint-Sulpice, inaugurée en 1915, constitue un des bijoux architecturaux de Montréal. Elle sera d'ailleurs classée monument historique en 1988.

La bibliothèque hérite donc des collections sulpiciennes et universitaires ; à son ouverture, elle comporte 100 000 ouvrages. Son bibliothécaire, Ægidius Fauteux, grand érudit, amasse au fil des ans une formidable collection d'ouvrages savants ainsi qu'un vaste fonds d'ouvrages plus accessibles sur l'Amérique francophone et la pensée canadienne-française. Il le fait à la fois par l'acquisition de riches collections de particuliers (celles du juge Sicotte, de Louis-Joseph Papineau et de l'abbé Nazaire Dubois, par exemple) et par des achats auprès de libraires au Québec, aux États-Unis et en Europe.

Fauteux effectue également des démarches pour obtenir les publications gouvernementales provinciales et fédérales et, dès 1921, il parvient à instaurer le « dépôt volontaire » d'ouvrages canadiens-français au moyen d'ententes auprès des auteurs et des éditeurs.

Les ressources des Sulpiciens sont fortement drainées par les frais nécessaires au développement de la collection et au fonctionnement de la Bibliothèque. La crise économique de 1929 aggrave la situation, à tel point qu'en juillet 1931, ils se voient contraints de fermer la Bibliothèque Saint-Sulpice. Elle ne rouvrira ses portes que 13 ans plus tard.

LA BIBLIOTHÈQUE PROVINCIALE OU D'ÉTAT

Après avoir obtenu la Bibliothèque Saint-Sulpice en garantie du paiement des dettes des Sulpiciens en 1937, le gouvernement du Québec décide de l'acquérir officiellement en 1941, au coût de 742 006,59 $. Une étude commandée à René Garneau révèle la richesse exceptionnelle de la collection, la « plus importante des bibliothèques françaises de la Province après celle du Parlement[6] ». Celui-ci recommande un agrandissement de l'édifice, dont l'espace est devenu insuffisant pour loger la collection qui contient 1 600 000 unités physiques, dont 500 000 monographies, 21 000 titres de périodiques et de journaux et 1 000 mètres linéaires de collections spéciales et de manuscrits[7]. Cette solution sera proposée une seconde fois au gouvernement dans les années 1950[8].

La Bibliothèque Saint-Sulpice recommence à accueillir le public le 16 janvier 1944. Vingt ans plus tard, dans l'intention de lui insuffler une nouvelle énergie, Guy Frégault, alors sous-ministre aux Affaires culturelles, nomme à la tête de l'institution Georges Cartier, écrivain et bibliothécaire dynamique. Déjà en mars 1965, un comité présidé par le conservateur recommande dans un livre blanc que l'institution devienne une « Bibliothèque d'État ». Cartier réitère de plus l'urgent besoin d'espace pour permettre l'épanouissement de l'institution surnommée le « temple du savoir ».

LA BIBLIOTHÈQUE NATIONALE DU QUÉBEC

La loi instituant la Bibliothèque nationale du Québec est adoptée en août 1967 et mise en application au 1er janvier 1968. Elle précise son mandat, qui consiste à « rassembler et conserver, si possible dans leur forme originale, des exemplaires de documents qui sont publiés au Québec ainsi

Édifice de la Bibliothèque Saint-Sulpice,
rue Saint-Denis à Montréal.

que de ceux qui sont publiés à l'extérieur du Québec mais dont le sujet principal est le Québec ».

Dans ce but, tous les éditeurs du Québec sont tenus de déposer deux exemplaires de leurs publications à la Bibliothèque nationale, le premier destiné à la conservation et le second pour diffusion auprès du public. Le dépôt légal s'applique aux livres, brochures, journaux, revues, documents cartographiques, livres d'artistes et partitions musicales. Diverses activités de mise en valeur de ces documents sont mises sur pied par l'institution au fil des ans, comme *la Bibliographie du Québec,* d'abord courante puis rétrospective, qui recense tous les ouvrages publiés au Québec.

Comme on l'a vu, la Bibliothèque souffre déjà d'un manque d'espace pour la mise en valeur de ses collections. En 1966, avant même la création de la bibliothèque d'État, on doit répartir les documents entre deux lieux à Montréal : les monographies à la Bibliothèque Saint-Sulpice, rue Saint-Denis, et les revues, journaux et publications gouvernementales dans l'ancienne bibliothèque juive rebaptisée Ægidius-Fauteux, au coin de l'avenue de l'Esplanade et de l'avenue du Mont-Royal.

La situation devient de plus en plus difficile à gérer car la collection croît rapidement, le domaine de l'édition québécoise connaissant une forte accélération. On assiste à une véritable valse des collections et des employés entre plusieurs bâtiments. Outre les édifices Saint-Sulpice et Fauteux, des documents sont entreposés successivement ou concurremment dans cinq lieux différents pendant 20 ans. Le personnel de l'institution, toujours plus nombreux pour assurer la bonne marche des activités de la Bibliothèque, déménage à cinq reprises entre 1966 et le début des années 1990.

Les édifices ne bénéficient pas non plus de conditions de conservation et de sécurité adéquates pour préserver les documents. À titre d'exemple, dans l'édifice Saint-Sulpice, la température durant l'été peut dépasser les 38 degrés Celsius. Le plus grave événement, un incendie à l'édifice Montval à Longueuil, en 1980, cause la perte de 26 000 documents, en plus de tous les journaux et revues de conservation des années 1977 à 1980. Quelque 126 000 autres documents sont endommagés.

Par ailleurs, dans une société en changement qui prône l'égalité des chances et la démocratisation du savoir, les collections de la Bibliothèque nationale demeurent trop peu accessibles. La clientèle n'y a pas un accès libre car elles sont dissimulées dans des magasins. Trop dispersées, elles obligent le public à se déplacer parfois jusque dans trois lieux différents pour amasser la documentation nécessaire à une seule recherche. Le nombre de places assises est insuffisant dans les édifices existants, et ces derniers ne permettent pas une utilisation optimale des nouvelles technologies, qui commencent à devenir essentielles à une diffusion efficace de l'information.

UNE NOUVELLE MATURITÉ

À la fin des années 1980, et malgré plusieurs scénarios envisagés, le problème n'a pas trouvé de solution. C'est alors que survient un événement

Édifice Ægidius-Fauteux,
avenue de l'Esplanade à Montréal.

d'importance dans l'existence de la Bibliothèque nationale : elle devient une corporation, statut juridique qui lui confère une plus grande autonomie. Une loi qui entre en vigueur le 1er avril 1989 la transforme en effet en corporation chapeautée par un conseil d'administration composé de neuf membres, dont le président occupe également la fonction de directeur général. La nouvelle loi comporte 62 articles, contre 14 dans l'ancienne ; mieux cernée, plus libre de ses mouvements, la Bibliothèque acquiert une nouvelle maturité.

Le premier président-directeur général nommé, Philippe Sauvageau, prépare dès 1990 un programme des besoins de la Bibliothèque nationale[9], programme qui tient compte des prédictions de croissance des collections jusqu'en 2015. Il recommande la construction de deux édifices, un pour remplir le mandat de conservation de la BNQ et un autre pour réaliser un mandat de diffusion élargi. Deux bâtiments séparés assureraient minimalement la préservation d'un des deux exemplaires du dépôt légal advenant un sinistre, en plus de représenter une économie de coûts, l'édifice de conservation pouvant être situé ailleurs qu'au centre-ville. Il propose aussi d'abandonner le projet d'agrandissement de la Bibliothèque Saint-Sulpice, projet qui ne permettrait plus de répondre aux exigences et aux besoins de l'organisme.

En 1992, le dépôt légal est étendu à de nouveaux supports : estampes originales, affiches, reproductions d'œuvres d'art, cartes postales, enregistrements sonores, logiciels, documents électroniques et microéditions. Une nouvelle vision plus inclusive du patrimoine émerge dans une société où l'information prend sans cesse de nouvelles formes. Le manque d'espace de l'institution s'en trouve cependant aggravé.

VERS LA GRANDE BIBLIOTHÈQUE DU QUÉBEC

La situation de la Bibliothèque centrale de Montréal et de la Bibliothèque nationale, deux des plus importantes bibliothèques du Québec, est devenue critique. Il est alors question de loger l'édifice de diffusion de la Bibliothèque nationale dans l'ancien magasin Simpson de la rue Sainte-Catherine, au cœur du quartier commercial du centre-ville. La Ville de Montréal se montre intéressée à partager les locaux en y installant l'avant-poste technologique de la Bibliothèque centrale de Montréal, toujours en rénovation.

Plusieurs voix s'élèvent contre le choix de cet édifice, à cause du symbole qu'il représente et de l'absence de vie culturelle du quartier. Un texte de Bruno Roy, le président de l'Union des écrivaines et écrivains québécois, ouvre le débat dans *Le Devoir* du 11 décembre 1995, sous le titre : « La bibliothèque nationale en danger ». En février 1996, Lise Bissonnette, alors directrice et éditrice du *Devoir,* signe une chronique qui interpelle le gouvernement de Lucien Bouchard en évoquant la possibilité de construire une Très Grande Bibliothèque du Québec dans le Quartier latin, bibliothèque qui réunirait notamment les collections de la Bibliothèque nationale du Québec et de la Bibliothèque centrale de Montréal.

Le débat continue de faire rage pendant que la ministre de la Culture et des Communications, Louise Beaudoin, donne le mandat à un comité, présidé par Clément Richard, d'étudier la faisabilité d'un tel projet. Déposé en juin 1997, le rapport du comité recommande sans réserve la création d'une Grande Bibliothèque pour le Québec, constituée en société autonome par une loi de l'Assemblée nationale. Le concept de l'institution serait appuyé par quelques grands principes : dynamiser la vie intellectuelle et culturelle du Québec; fournir un accès démocratique à une collection nationale et universelle de grande qualité ; être centrée sur la diffusion des connaissances et de l'information; avoir un effet positif et stimulant sur l'ensemble des bibliothèques québécoises; promouvoir une utilisation exemplaire des nouvelles technologies[10].

On y parviendrait, notamment, en assurant la gratuité des services et le libre accès aux collections, en misant sur un personnel compétent et accueillant, en offrant des activités d'animation et de formation adaptées, et en ciblant des clientèles particulières, comme les personnes handicapées, les nouveaux arrivants, les personnes en difficulté de lecture et les individus en cheminement de carrière. Un édifice suffisamment spacieux pour réunir les collections de diffusion de la Bibliothèque nationale du Québec et de la Bibliothèque centrale de Montréal — on parle d'environ 30 000 mètres carrés —, permettrait à la Grande Bibliothèque de réaliser adéquatement sa mission.

Elle deviendrait une bibliothèque phare pour l'ensemble du Québec « en partageant ses ressources, mais surtout en suscitant une action concertée entre bibliothèques et en exerçant un rôle de chef de file plutôt que d'autorité[11] ».

Pendant que le comité présidé par Clément Richard, composé entre autres des dirigeants des deux institutions concernées, élabore le concept d'une Grande Bibliothèque, la Bibliothèque nationale rénove une ancienne usine de cigares, située rue Holt dans le quartier Rosemont, pour y déménager son siège social, sa collection de conservation et ses collections spéciales. L'édifice présente de nombreux avantages : coût d'achat raisonnable, superficie suffisante pour envisager un développement à long terme, caractéristiques physiques adaptées à l'usage souhaité (grande capacité portante des planchers, dispositif élaboré de circulation de l'air, etc.). En six mois, les travaux sont achevés; le centre de conservation est vaste et agréable, mais surtout doté des systèmes de conservation et de sécurité à la fine pointe de la technologie. Une moitié du problème a trouvé sa solution.

« LE PREMIER LIVRE D'UNE BIBLIOTHÈQUE EST SON ÉDIFICE[12] »

En novembre 1997, une commission parlementaire se prononce en faveur de la création d'une Grande bibliothèque au Québec. Le projet est enfin lancé. Un Conseil provisoire dépose son programme préliminaire en mai 1998. Des audiences publiques révèlent une nette préférence pour le Quartier latin comme site d'édification du bâtiment; le Palais du Commerce, au coin des rues De Maisonneuve et Berri, est choisi. On met en évidence sa grande accessibilité, à la jonction de trois lignes de métro où 500 000 usagers transitent chaque jour, face à la Station centrale d'autobus et en bordure d'une piste cyclable. La riche mixité du quartier, dans lequel se mêlent des activités culturelles, commerciales et résidentielles, est également soulignée, de même que la remarquable mobilisation de ses résidents et travailleurs en faveur du projet.

Nécessaire à l'existence de l'organisme, la loi constituant la Grande bibliothèque du Québec est adoptée en juin 1998. La nouvelle société autonome intègre les missions de diffusion de la Bibliothèque nationale du Québec et de la Bibliothèque centrale de Montréal. Certains milieux culturels et documentaires demeurent inquiets de voir la Bibliothèque nationale du Québec, une institution qui a atteint sa pleine maturité, amputée ainsi de la moitié de ses activités.

Pour défendre et faire mûrir le projet, on fait appel à celle qui en a pour ainsi dire été le ferment : Lise Bissonnette est nommée en août 1998 présidente-directrice générale de la Grande bibliothèque du Québec. Le premier noyau de l'équipe se forme autour d'elle, il amende et enrichit le programme préliminaire tout en approfondissant le concept de la

Centre de conservation de Bibliothèque et Archives
nationales du Québec, rue Holt à Montréal.

Bibliothèque. Déposé en 1999, le *Programme des activités et des espaces* devient définitif. L'édifice de 33 000 mètres carrés, réparti entre 29 espaces différents, comportera 2 900 places assises ainsi que quelques centaines de postes informatiques et hébergera quatre millions de documents[13].

Un concours international d'architecture est annoncé au tout début de 2000 pour choisir les concepteurs du bâtiment. Même si le concours est international, les candidats doivent s'adjoindre un cabinet d'architectes québécois pour être éligibles. À l'issue d'un processus en deux étapes, on opte pour le projet de la firme Patkau/Croft-Pelletier/Gilles Guité. L'édifice aux dominantes de bois, de verre et de granit sera ceinturé de chambres de bois pour abriter les collections, en écho au célèbre roman de l'écrivaine Anne Hébert. La firme Menkès Shooner Dagenais intégrera le projet en marche et en assurera l'exécution, en collaboration avec la Direction de la planification et de la gestion du projet de construction, que la Grande bibliothèque du Québec avait créée dès 1999.

Au moment de déterminer l'emplacement de la Collection patrimoniale dans le nouvel édifice, un nouveau débat surgit, deux visions irréconciliables se font face. Selon les vœux de l'ancien Conseil provisoire, il était prévu que les collections des deux institutions soient intercalées au sein des mêmes espaces. La direction de la Grande bibliothèque du Québec tient pour sa part à réserver à la Collection nationale un espace distinct. La question, fondamentale et hautement symbolique, de l'identité et de l'intégrité de la Collection patrimoniale est en cause.

L'Union des écrivaines et écrivains québécois et l'Association nationale des éditeurs de livres plaident pour le maintien d'une Collection patrimoniale distincte, en accord avec la présidente-directrice générale de la Grande bibliothèque. Des raisons de sécurité des documents et de clarté pour la clientèle sont aussi invoquées. Le conseil d'administration de la nouvelle institution se rangera à cet avis et le concept proposé aux

Vue aérienne de l'édifice du Palais du Commerce,
futur site de la Grande Bibliothèque.

architectes finalistes mènera, à terme, à doter la Collection patrimoniale de sa propre chambre de bois.

LA NOUVELLE BIBLIOTHÈQUE NATIONALE DU QUÉBEC

En parallèle à l'intégrité des collections de la Bibliothèque nationale du Québec, l'intégrité de l'institution elle-même soulève des craintes. En réponse à l'inquiétude des milieux culturels de voir la Bibliothèque nationale diminuée par l'amputation de sa mission de diffusion, le gouvernement du Québec décide de fusionner la Grande bibliothèque du Québec et la Bibliothèque nationale du Québec. C'est la loi sur la Grande bibliothèque du Québec qui servira de cadre, amendée pour y intégrer les missions de l'ancienne Bibliothèque nationale. Le projet de loi 160, adopté en 2001, entre en vigueur en 2002. La « nouvelle » Bibliothèque nationale du Québec rétablit la continuité entre conservation et diffusion.

Le législateur stipule qu'elle « a pour mission de rassembler, de conserver de manière permanente et de diffuser le patrimoine documentaire québécois publié et tout document qui s'y rattache et qui présente un intérêt culturel, de même que tout document relatif au Québec et publié à l'extérieur du Québec. Elle a également pour mission d'offrir un accès démocratique au patrimoine documentaire national, à la culture et au savoir et d'agir, à cet égard, comme catalyseur auprès des institutions documentaires québécoises, contribuant ainsi à l'épanouissement des citoyens. Plus particulièrement, elle poursuit les objectifs suivants : valoriser la lecture, la recherche et l'enrichissement des connaissances, promouvoir l'édition québécoise, faciliter l'autoformation continue, favoriser l'intégration des nouveaux arrivants, renforcer la coopération et les échanges entre les bibliothèques et stimuler la participation québécoise au développement de la bibliothèque virtuelle[14] ».

Ce concept hybride original d'une bibliothèque à la fois publique et nationale présente de grands avantages. La nouvelle Bibliothèque nationale du Québec attire une variété enrichissante de clientèles, encourageant la découverte. Elle élargit l'accès au patrimoine documentaire québécois en l'intégrant à un lieu destiné au plus large public, et complète les ressources de la bibliothèque publique en les associant à des espaces de recherche, et cela tout en préservant l'intégrité et la spécificité des collections. Elle constitue aussi un centre d'expertise pour les milieux documentaires et un laboratoire d'expérimentation virtuel qui ouvre ses services et ses collections au monde.

La Grande Bibliothèque de la Bibliothèque nationale est un symbole de réconciliation et de coopération. Elle prend le relais de deux édifices construits il y a près d'un siècle dans un esprit de rivalité et réunit aujourd'hui leurs collections et leurs services en un seul lieu dans un souci d'harmonie et dans un esprit de partage également illustrés, quelques mois après son inauguration, par la fusion avec les Archives nationales du Québec achevée en janvier 2006.

CHAPITRE II

L'architecture

MARTIN DUBOIS

A u cours des années 1990, la problématique liée aux bibliothèques publiques de Montréal prend un tour aigu : les institutions existantes souffrent d'un manque chronique d'espace, leurs installations sont souvent vétustes et aucune ne peut faire face aux missions étendues désormais confiées aux grandes bibliothèques dans le monde et aux adaptations rendues nécessaires par les nouvelles technologies de l'information.

Une réflexion de fond s'impose, qui ouvrira des pistes pour des décennies. Ce débat, synthétisé et approfondi par le rapport Richard à l'été 1997, aboutit à la conclusion qu'une solution rationnelle à l'ensemble des problèmes identifiés passe par la création d'une nouvelle institution[15].

Cette Grande bibliothèque du Québec, dont la naissance officielle est entérinée par une loi de juin 1998, voit ses orientations précisées quelques semaines plus tard par un *Programme des activités et des espaces*.

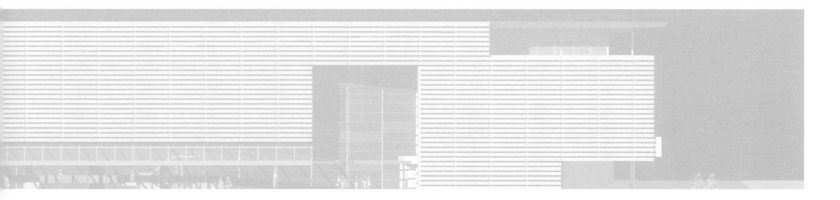

Élévation rue Berri de l'édifice de la Grande Bibliothèque.
Dessin technique : Patkau/Croft-Pelletier/Menkès Shooner Dagenais.

Ses missions s'articulent ainsi autour de trois axes précis. Elle « intègre les activités de diffusion de la Bibliothèque nationale du Québec. [...] Elle offre à la population de Montréal et de sa région un service de lecture publique en assumant le rôle de bibliothèque centrale municipale. [...] Elle agit comme bibliothèque-phare et ressource pour l'ensemble des bibliothèques québécoises[16] ».

De plus, en accord avec les objectifs définis par la Politique de la lecture et du livre adoptée en 1998 par le ministère de la Culture et des Communications du Québec, la GBQ doit toucher tous les publics et fidéliser de nouvelles clientèles en offrant notamment des services spécialisés aux enfants et aux adolescents, aux personnes handicapées, aux nouveaux arrivants et aux usagers en cheminement de carrière.

Cette approche multivocationnelle et l'accent mis sur les dimensions d'accueil et d'accessibilité dans l'idéation même du projet sont porteurs de paramètres qui, déjà, esquissent les contours d'un concept immobilier. Autour de ces premiers repères, cependant, un univers de création architecturale est ouvert à l'imagination.

La fin de l'année 1998 marque donc le début d'une entreprise de longue haleine qui aboutira, un peu moins de sept ans plus tard, à l'inauguration de l'un des plus beaux édifices publics du Québec.

Grande Bibliothèque
du Québec

LES ÉTAPES DE PLANIFICATION

LA MISE EN PLACE DES STRUCTURES

En août 1998, le gouvernement du Québec désigne le conseil d'administration de la Grande bibliothèque du Québec et nomme madame Lise Bissonnette présidente-directrice générale de la nouvelle institution. Conformément à sa loi constitutive, la GBQ supervisera elle-même les travaux de construction de son édifice. À ce titre, elle agit donc comme maître d'ouvrage (client) et maître d'œuvre (responsable de l'exécution des travaux, en collaboration avec les architectes). Cette situation lui offre, notamment, une plus grande liberté dans l'organisation du projet de construction, qu'elle met à profit pour créer son propre Bureau de la planification et de la gestion du projet de construction[17]. Cette option présente le grand avantage d'assurer une constante proximité entre la Direction de l'institution et les responsables de la construction, garantissant une qualité de coordination essentielle pour un projet de cette envergure. Dirigé par M. Jean Roy, qui vient alors de s'illustrer dans la planification réussie du développement physique du campus de l'Université du Québec à Montréal, le Bureau est chargé de procéder aux analyses et études préliminaires requises par le projet, d'organiser les étapes des concours nécessaires, de gérer les échéanciers et les budgets, et de coordonner les activités des différents professionnels qui y sont associés (architectes, designers, entrepreneurs, etc.).

Décembre 2001, la première pelletée de terre donne le coup d'envoi des travaux de construction de la Grande Bibliothèque.

Dans un premier temps, le Bureau s'attache donc à réviser le programme des espaces préalablement établi en évaluant, quantifiant et planifiant les besoins de la bibliothèque en termes d'espaces physiques et d'équipements, en étroite concertation avec l'équipe de la bibliothéconomie de la GBQ. Cette discipline récente apporte en effet un éclairage indispensable sur l'organisation et la gestion d'une bibliothèque de notre temps. Des échanges constants avec les bibliothécaires rompus à ses pratiques permettent ainsi d'envisager une implantation rationnelle des services à la clientèle, de planifier l'ampleur des collections, ainsi que les contraintes physiques liées à la conservation des documents et à leur accès pour le public.

De ce dialogue naît un nouveau document précisant les espaces et le budget de la GBQ[18].

LA DÉFINITION DES GRANDES ORIENTATIONS

La Grande bibliothèque du Québec est une institution d'une envergure exceptionnelle pour Montréal et le Québec. Elle doit être à la fois un lieu de transmission du savoir, d'accueil et d'échange.

La transmission du savoir passe par l'offre à des clientèles variées de plusieurs millions de documents disponibles sur plusieurs types de supports : livres, journaux et revues, films, enregistrements musicaux, microformes, etc.

Appelée à jouer le rôle d'une grande bibliothèque publique pour l'ensemble de la population québécoise, mais aussi chargée de mieux faire connaître les richesses patrimoniales à de nouveaux publics, la GBQ abritera donc deux imposantes collections : la Collection nationale, qui devra être consultée sur place, et une Collection universelle de prêt, structurée en bibliothèques thématiques. Au fil du temps, se précise le fait que ces ressources documentaires proviendront d'institutions existantes (la Bibliothèque nationale du Québec, la Bibliothèque centrale de Montréal, la Magnétothèque, l'Institut Nazareth et Louis-Braille) et seront complétées par d'importantes acquisitions nouvelles.

LA COLLECTION NATIONALE

Depuis sa création, en 1967, la Bibliothèque nationale du Québec acquiert, par dépôt légal, deux exemplaires de l'ensemble des documents produits au Québec : livres, revues et journaux, documents cartographiques, livres d'artistes, partitions musicales. En 1992, le dépôt légal s'élargit aux estampes, affiches, reproductions d'œuvres d'art, cartes postales, enregistrements sonores, logiciels et microformes, puis en 2003, aux programmes de spectacles. La BNQ procède également à l'acquisition rétrospective des publications parues avant 1967 et des documents relatifs au Québec publiés hors de ses frontières, ou dont l'un des créateurs est originaire du Québec, ce qui lui permet de constituer une collection quasi exhaustive du patrimoine documentaire québécois.

À la suite de la fusion entre la BNQ et la GBQ entrée dans les faits en 2002, ces trésors patrimoniaux sont répartis entre le Centre de conservation de la rue Holt et le nouvel édifice de diffusion que l'on prendra bientôt l'habitude d'appeler la « Grande Bibliothèque ».

Dans cette Grande Bibliothèque (GB), le public aura donc accès, en consultation sur place, aux 240 000 livres de la Collection patrimoniale québécoise, à 20 000 journaux et à 550 000 revues. Il pourra aussi y trouver les publications gouvernementales du Québec et du Canada, la Collection nationale de musique ainsi que la Collection patrimoniale québécoise en littérature pour la jeunesse.

LA COLLECTION UNIVERSELLE DE PRÊT ET DE RÉFÉRENCE

La Collection universelle de prêt et de référence regroupe, quant à elle, les collections de la Bibliothèque centrale de Montréal acquises en janvier 2004 par la Bibliothèque nationale, qui comptent 450 000 livres, ainsi qu'un fonds important de revues et de journaux pour la première fois offerts en accès libre au public dans leur quasi-totalité.

Par ailleurs, grâce à un investissement de 17,2 millions de dollars, la Collection universelle de la GB s'enrichit de nouvelles acquisitions — livres, enregistrements sonores, DVD et documents électroniques — dont le traitement documentaire et l'intégration au catalogue de la BNQ auront exigé un investissement supplémentaire de 14,1 millions de dollars sur un peu plus de deux ans.

Ces acquisitions ont notamment permis la création d'une vidéothèque, d'une logithèque, d'une bibliothèque consacrée à l'économie et aux affaires et la constitution d'une vaste collection pour la jeunesse destinée aux 0 à 13 ans. Ces ressources sont enfin complétées par des documents destinés à des clientèles spécialisées. En proposant aux personnes atteintes de déficiences visuelles les collections de la Magnétothèque et de l'Institut Nazareth et Louis-Braille, et en offrant les services dispensés par le Service québécois du livre adapté, la Grande Bibliothèque met à disposition dans un lieu central, aisément accessible, des livres et revues en braille, des livres en gros caractères, des enregistrements sonores et des documents numériques, ainsi que des équipements spécialement adaptés aux besoins des clientèles concernées.

Il ne s'agit pas là d'un effort ponctuel lié à l'ouverture du nouvel édifice : ce développement spectaculaire des collections se poursuivra dans le temps, puisqu'il est prévu que la BNQ acquière annuellement quelque 65 000 livres et 20 000 documents audiovisuels et électroniques, assurant à ses usagers une offre sans cesse enrichie et actualisée.

L'ACCUEIL

Cette double offre documentaire conditionne largement l'aménagement des espaces d'accueil du bâtiment. Sa diversité permet de satisfaire aux demandes de publics très variés, auxquels il est essentiel de proposer non seulement des services mais aussi des atmosphères de travail ou de lecture répondant à leurs attentes. La Grande Bibliothèque offre donc à ses usagers des lieux à la fois chaleureux et confortables, conçus autour des concepts de flexibilité spatiale et d'accessibilité.

Afin de circuler et de s'orienter aisément à l'intérieur de l'édifice, chacun doit avoir une perception rapide et claire des grands ensembles et des grands axes : l'organisation spatiale du bâtiment est donc rigoureuse tout en demeurant conviviale, cherchant à s'adapter aux besoins des uns et des autres : tables de travail munies de branchements informatiques et électriques, fauteuils moelleux pour bouquiner, cabinets de recherche...

L'ÉCHANGE

La Grande Bibliothèque se veut enfin un lieu d'échange, de formation et d'information. Là encore, de tels choix imposent la mise en place d'équipements spécifiques. Conférences et colloques pourront être organisés dans son auditorium de 300 places, séminaires et rencontres pourront se dérouler dans les diverses salles de réunion de son Centre de conférences, un Centre emploi-carrière accueillera les personnes en cheminement professionnel, un espace sera réservé aux services destinés aux nouveaux arrivants, tandis qu'une salle d'exposition de 425 m² ainsi que de nombreux espaces de mise en valeur des collections prévus aux différents niveaux de l'édifice permettront à la BNQ de développer davantage une activité muséale de grande qualité. Les jeunes usagers bénéficieront, eux aussi, de lieux spécialement pensés pour eux. Ils auront tout loisir d'exprimer leurs talents dans un atelier de créativité et pourront assister à des spectacles dans le petit théâtre Inimagimô.

Mais l'échange ne se limitera pas aux murs de la Grande Bibliothèque. Afin de porter ses services à distance et de faire entrer dans les faits la bibliothèque virtuelle, la BNQ s'est dotée d'une architecture électronique à la fine pointe des technologies de l'information. Cette dimension, incoutournable pour une bibliothèque du XXIe siècle, a elle aussi dicté un certain nombre des choix architecturaux effectués lors du développement du projet.

LE CHOIX DU SITE

Une fois ces grandes orientations posées, les phases concrètes de la réalisation du bâtiment ont commencé avec le choix d'un site d'implantation. Une institution de l'envergure de la Grande Bibliothèque commande un site accessible, s'inscrivant en complémentarité avec les activités culturelles et commerciales du centre-ville de Montréal et susceptible d'accueillir un édifice de plus de 30 000 m².

Au départ, neuf sites potentiels situés à l'intérieur d'un quadrilatère délimité par la rue Sherbrooke au nord, la rue University à l'ouest, la rue Saint-Antoine au sud et la rue Saint-Hubert à l'est ont été considérés[19] :

- Site 1 : UQAM (au nord de la Place des Arts)
- Site 2 : Bibliothèque Saint-Sulpice
- Site 3 : Palais du Commerce
- Site 4 : Station centrale d'autobus (anciennement le Terminus Voyageur)
- Site 5 : Îlot Balmoral (à l'ouest de la Place des Arts)
- Site 6 : Hydro-Québec/Théâtre du Nouveau Monde (à l'est du Complexe Desjardins)
- Site 7 : Îlot Anderson (au sud-ouest du Complexe Desjardins)
- Site 8 : Autoroute Ville-Marie (à l'est du Palais des congrès)
- Site 9 : Métro Champ-de-Mars (au-dessus de l'autoroute Ville-Marie).

Ci-dessus, entrée principale du Palais du Commerce, rue Berri, futur site de la Grande Bibliothèque.
À droite, démolition de l'édifice du Palais du Commerce.

Une étude comparative a été réalisée pour évaluer chacun de ces sites, selon les critères suivants[20] :

- la complémentarité du milieu et la proximité avec les activités de la vie montréalaise, afin d'assurer une fréquentation diversifiée;
- l'accessibilité au site et son raccordement aux principaux réseaux piétonniers, routiers et de transport en commun (métro et autobus urbains et interurbains);
- les caractéristiques du site en regard de sa superficie, de sa configuration, de sa visibilité et de son potentiel d'expansion;
- l'impact du projet en ce qui a trait au renforcement ou à la consolidation du milieu dans lequel il s'insère;
- le coût d'acquisition du site et les contraintes d'aménagement.

À la suite du dépôt de cette étude et de la tenue d'audiences publiques, les sites du Palais du Commerce et de l'îlot Balmoral se sont rapidement démarqués. Malgré la configuration oblongue du terrain, le site du Palais du Commerce l'a finalement emporté, en raison de la proximité de plusieurs institutions culturelles et éducatives importantes (UQAM, Cégep du Vieux-Montréal, Cinémathèque), des activités commerciales des rues Saint-Denis et Sainte-Catherine et, surtout, du lien direct avec l'une des plus grandes stations de métro de Montréal, la station Berri-UQAM, et avec la Station centrale d'autobus qui dessert l'ensemble des régions du Québec et de nombreuses destinations au Canada et aux États-Unis.

Les objectifs définis par le *Programme des activités et des espaces* et les paramètres de réalisation de la Grande Bibliothèque ne permettant pas d'utiliser le bâtiment existant, il fallait démolir le Palais du Commerce. Pour conserver la mémoire de cet édifice construit dans les années 1950, par ailleurs de peu d'intérêt architectural, certains éléments, dont le lettrage métallique qui formait le nom de l'institution sur sa façade, ont été soigneusement conservés afin d'être exposés dans les espaces publics du nouveau bâtiment.

LE CONCOURS INTERNATIONAL D'ARCHITECTURE

UNE PREMIÈRE AU QUÉBEC

En raison de la portée culturelle et sociale du projet de la Grande Bibliothèque, la sélection des architectes se devait d'être particulièrement rigoureuse. Pour sa présidente-directrice générale, madame Lise Bissonnette, « la vocation culturelle et éducative du bâtiment et ses défis techno-logiques majeurs » exigeaient « des installations robustes, modernes et fonctionnelles, dans un cadre esthétique de qualité, à la hauteur de la dimension symbolique d'un tel équipement public ».

Pour honorer cette commande architecturale exceptionnelle dans l'histoire récente du Québec, un concours d'architecture d'envergure internationale a ainsi été organisé afin d'identifier les meil-leurs concepts et de mobiliser autour du projet les meilleurs architectes. Ce concours, le premier du genre au Québec, devait être marqué par sa transparence et s'inspirer des expériences étran-gères les plus probantes en la matière[21].

Cette démarche avait une triple ambition : garantir le niveau d'excellence et d'efficacité des fu-tures installations de la Grande Bibliothèque; stimuler la créativité des architectes à travers une compétition largement ouverte et contribuer au rayonnement international du Québec dans le domaine de l'architecture.

Le gouvernement du Québec a officiellement lancé ce concours en janvier 2000. Sous la présidence de madame Phyllis Lambert, directrice et fondatrice du Centre canadien d'architecture, le jury réunissait :

■ Georges Adamczyck, designer, directeur de l'École d'architecture de l'Université de Montréal;

■ Lise Bissonnette, présidente-directrice générale de la Grande bibliothèque du Québec;

■ Ruth Cawker, architecte, Toronto et Atelier Baraness & Cawker, Nice;

- Yvon-André Lacroix, directeur général de la bibliothéconomie à la Grande bibliothèque du Québec;
- Hélène Laperrière, urbaniste, présidente de Culture et Ville, Montréal;
- Mary Jane Long, architecte, spécialisée en construction de bibliothèques, directrice, Colin St John Wilson & Partners et Long & Kentish architects, Londres;
- Bernard Tschumi, architecte, Bernard Tschumi Architect, doyen de la Graduate School of Architecture, Planning and Preservation de l'Université Columbia, New York;
- Irene F. Whittome, artiste et professeur en arts plastiques, Université Concordia, Montréal.

Madame Lambert saluait alors en ces termes le processus choisi : « C'est avec enthousiasme que j'ai accepté de présider les travaux du jury. Pour la première fois dans l'histoire de l'architecture au Québec, un édifice public sera construit à la faveur d'un concours international. C'est un défi extraordinaire d'autant plus stimulant que l'édifice aura une vocation culturelle très marquée. Je suis persuadée que ce projet attirera un nombre important d'architectes de renom tout en stimulant les plus jeunes firmes d'ici et d'ailleurs à proposer des idées prometteuses. »

De gauche à droite : debout, Mᵐᵉ Hélène Laperrière, M. Georges Adamczyck, Mᵐᵉ Mary Jane Long, Mᵐᵉ Irene F. Whittome, M. Bernard Tschumi; assis, Mᵐᵉ Ruth Cawker, M. Yvon-André Lacroix, Mᵐᵉ Phyllis Lambert et Mᵐᵉ Lise Bissonnette.

LE DÉROULEMENT DU CONCOURS

La formule adoptée prévoyait deux étapes d'une durée totale de six mois. La première étape, s'échelonnant de janvier à avril 2000, consistait en un appel international de candidatures. Étaient admissibles au concours les architectes membres en règle de l'organisme régissant cette profession dans leur province ou leur pays. Les firmes de l'extérieur du Québec devaient intégrer dans leur équipe un architecte inscrit à l'Ordre des Architectes du Québec et l'équipe gagnante devait, si elle était originaire de l'extérieur du Québec, obtenir un permis de pratique temporaire de cet organisme.

Dessins et maquette du projet
Patkau/Croft-Pelletier/Gilles Guité
(Colombie-Britannique).

Il était demandé aux candidats de soumettre un dossier de présentation résumant leurs principales réalisations ainsi que les qualifications de leur équipe. Ils devaient, de plus, joindre à leur offre de service une proposition conceptuelle conforme aux exigences du projet. Les critères de sélection reposaient sur la description de la firme, les projets réalisés, la structure de l'équipe, le concept proposé, l'intérêt manifesté pour le projet et l'assurance-qualité accordée.

Au terme de cet appel, 37 candidatures ont été déposées. Le jury en a retenu cinq pour l'étape suivante.

Selon les règles du concours, il devait y avoir parmi les finalistes au moins deux équipes originaires du Québec et deux équipes provenant de l'extérieur.

Les cinq finalistes retenus ont été :

- L'Atelier Christian de Portzamparc/Jean-Marc Venne/Birtz Bastien/ Bélanger Beauchemin Galienne Moisan Plante/Élizabeth de Portzamparc (France) ;
- FABG/GDL/N.O.M.A.D.E/Yann Kersalé/Ruedi Baur (Québec) ;
- Patkau/Croft-Pelletier/Gilles Guité (Colombie-Britannique) ;
- Saucier + Perrotte/Menkès Shooner Dagenais/Desvigne & Dalnoky/ Go Multimédia (Québec) ;
- Zaha Hadid/Boutin Ramoisy Tremblay (Grande-Bretagne).

Il leur a été demandé, dans une deuxième étape, d'élaborer une esquisse-concept du projet entre avril et juin 2000. Cette esquisse devait notamment permettre au jury d'évaluer le parti architectural, l'impact du projet sur le tissu urbain, l'organisation fonctionnelle proposée en réponse au programme, la force d'évocation symbolique de l'édifice, notamment en ce qui concerne les espaces réservés à la Collection nationale, la qualité et la diversité des atmosphères créées et, enfin, la cohérence des

De gauche à droite, maquettes des projets :
L'Atelier Christian de Portzamparc/Jean-Marc Venne/Birtz Bastien/
Bélanger Beauchemin Galienne Moisan Plante/Élizabeth de Portzamparc (France) ;
FABG/GDL/N.O.M.A.D.E/Yann Kersalé/Ruedi Baur (Québec) ;

choix architecturaux avec les exigences techniques du projet. Tout ceci, bien entendu, dans le strict respect des contraintes budgétaires préétablies.

Chacun des candidats sélectionnés a reçu 60 000 $ pour réaliser les plans et esquisses et la maquette du projet, et chacun a eu l'occasion de venir présenter sa réalisation (voir Les autres projets finalistes, p.161).

En juin 2000, après deux journées d'intenses délibérations, le jury a porté son choix sur la proposition de la firme Patkau Architects, de Vancouver, associée à deux firmes de Québec, Croft-Pelletier et Gilles Guité. Il a également décerné une mention spéciale au projet de la firme Zara Hadid, de Londres, associée à la firme québécoise Boutin, Ramoisy, Tremblay. La présidente du jury, madame Phyllis Lambert, s'est félicitée de la qualité exceptionnelle des projets présentés tout en soulignant que l'équipe

lauréate avait « réussi le plus largement à résoudre avec élégance, précision et sensibilité la complexité du programme des espaces et des activités de la Grande Bibliothèque ».

Le jury a particulièrement apprécié le parti pris de clarté, l'organisation des aires de circulation intérieure, la création d'une diversité de climats de lecture et de travail, la qualité des matériaux retenus (bois, cuivre, aluminium et granit). Ces choix correspondaient tout à fait à la vocation de la Grande Bibliothèque; ils en faisaient un lieu d'accueil, d'appartenance et de convivialité en prise directe avec la trame urbaine environnante et le Montréal souterrain.

Pour madame Lise Bissonnette, le concept développé par les firmes Patkau/Croft-Pelletier/Gilles Guité répondait « avec intelligence et assurance au problème d'équilibre entre les fonctions culturelles et les fonctions de services de la Grande Bibliothèque, bâtiment aux personnalités multiples qui devait trouver son unité ».

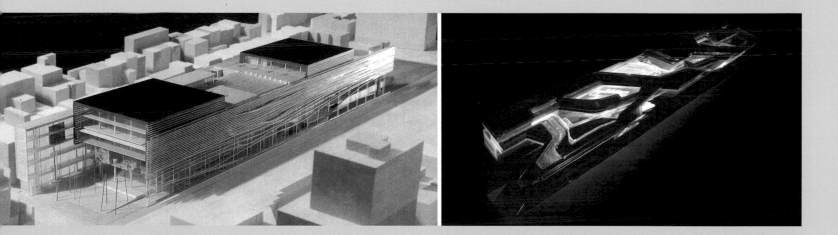

De gauche à droite, maquettes des projets :
Saucier + Perrotte/Menkès Shooner Dagenais/Desvigne & Dalnoky/Go Multimédia (Québec);
Zaha Hadid/Boutin Ramoisy Tremblay (Grande-Bretagne).

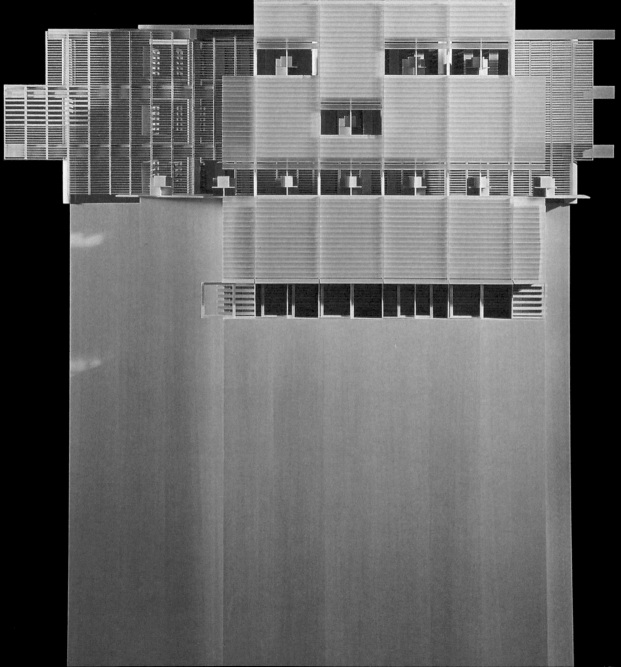

LES ÉQUIPES

La conception et la réalisation du projet lauréat sont le fruit d'une collaboration entre trois équipes, basées à Vancouver, à Québec et à Montréal.

Patkau Architects a été fondée par John et Patricia Patkau en 1978 à Edmonton, en Alberta, avant de s'installer à Vancouver en 1984.
John Patkau est titulaire d'un baccalauréat en arts et en études environnementales et d'une maîtrise en architecture de l'Université du Mani-

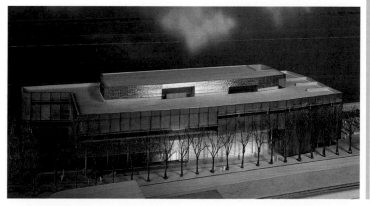

toba. Son associée et conjointe est, quant à elle, titulaire d'un baccalauréat en design d'intérieur de l'Université du Manitoba et d'une maîtrise en architecture de l'Université Yale. Ils sont entourés de collaborateurs de longue date et de plusieurs associés dont Michael Cunningham, associé principal de la firme depuis 1995.
Depuis sa fondation, Patkau Architects a développé une pratique du design architectural qui lui a valu une renommée internationale. La firme a remporté de nombreux prix nationaux et internationaux, dont cinq médailles et deux prix d'excellence du Gouverneur général du Canada.
La signature de John et Patricia Patkau est caractérisée par une constante recherche sur le plan de la forme et de l'expression, dans le but de donner un sens à l'architecture et d'enrichir les paysages bâtis. Ils réinventent sans cesse les formes architecturales afin que chaque réalisation soit unique et bien intégrée à son milieu. La force de leurs concepts se distingue autant

dans les grands gestes créatifs que dans les plus petits détails de construction. Leurs réalisations sont plutôt variées, tant en ce qui concerne les programmes fonctionnels que les échelles d'interventions. Patkau Architects a entre autres conçu des résidences privées, des écoles, des musées, des centres de recherche et des bibliothèques. Certaines de ces réalisations annoncent déjà le projet de la Grande Bibliothèque ou présentent des similitudes avec l'édifice. Ainsi,

dans la Newton Library de Surrey, en Colombie-Britannique, érigée en 1990, nous retrouvons, à une échelle plus réduite, l'idée de la promenade architecturale et de la succession d'espaces à l'ambiance et à la luminosité variables. Dans le projet plus récent de rénovation et d'agrandissement de la Winnipeg Centennial Library, est aménagée devant l'édifice existant une longue rampe inclinée qui accueille un grand escalier et des terrasses de lecture. Cet espace en gra-

dins protégé par une immense verrière n'est pas sans rappeler deux terrasses similaires à l'intérieur de la Grande Bibliothèque, où le concept de compression d'espaces crée une promenade architecturale autour des chambres de bois.

En plus d'être lauréat du concours de la Grande Bibliothèque, Patkau Architects a remporté ces dernières années deux autres concours d'architecture internationaux : le Nursing and Biomedical Sciences Facility de l'Université du Texas (1996), et une partie du plan d'ensemble et deux pavillons de l'Université de la Pennsylvanie (1998). Plusieurs publications et expositions lui ont été consacrées au Canada et à travers le monde depuis une quinzaine d'années[22].

La jeune firme de Québec Croft-Pelletier a été fondée en 1995 par deux diplômés de l'École d'architecture de l'Université Laval (1992), Marie-Chantal Croft et Éric Pelletier. Ce sont eux qui ont constitué l'équipe du concours en approchant l'architecte Gilles Guité, ancien maître de stage d'Éric Pelletier, ainsi que l'équipe Patkau de Vancouver, dont ils avaient apprécié plusieurs œuvres sur la côte ouest canadienne. Après avoir accédé au groupe des finalistes, toute l'équipe s'est retrouvée à Vancouver pendant quelques mois afin d'élaborer le concept du projet de la Grande Bibliothèque qui serait présenté au jury. Au cours de ce processus de création, ce sont les architectes Croft-Pelletier qui ont apporté les références culturelles et littéraires québécoi-

ses du projet, comme les chambres de bois, au centre du concept initial, ainsi que la présence de matériaux identitaires comme le bois et le cuivre.

Dans le développement de leur réflexion, Marie-Chantal Croft et Éric Pelletier accordent beaucoup d'importance au site et au milieu culturel et social dans lequel s'implantent leurs projets. Cette approche, que l'on peut qualifier de contextualiste, est présente dans la majorité de leurs

créations, qu'il s'agisse de résidences unifamiliales ou d'édifices à vocation culturelle ou commerciale. Cet ancrage permet, selon eux, une meilleure appropriation de l'édifice ou du site par le public auquel il est destiné.

La firme Croft-Pelletier Architectes est adepte des concours d'architecture, qu'elle considère comme un moyen de pousser plus loin les limites du design et de faire avancer la recherche en architecture. Elle a d'ailleurs remporté de nom-

À gauche, terrasse de lecture de la Winnipeg Centennial Library, de Patkau Architects.
À droite, illustration de la bibliothèque de Charlesbourg conçue par Croft-Pelletier Architectes.

breux concours nationaux ces dernières années : la bibliothèque de Charlesbourg (2003), le Musée de la Nation huronne-wendat à Wendake (2002), le Musée de la Gaspésie à Gaspé (2002), la Cabane idéale des Jardins de Métis (2002), sans compter les mentions d'honneur pour le concours du Centre d'interprétation de Place-Royale à Québec (1997) et de l'Abbaye cistercienne de Saint-Jean-de-Matha (2004).

De plus, Marie-Chantal Croft et Éric Pelletier ont remporté en 1999 le prix Ronald-J.-Thom du Conseil des Arts du Canada, décerné tous les deux ans aux meilleurs espoirs de l'architecture canadienne.

On retrouve dans nombre de leurs projets, réalisés ou non, les prémisses de la Grande Bibliothèque. Par exemple, le projet soumis au concours du World Culture Museum à Göteborg, en Suède, présentait déjà, au centre du bâtiment, ce grand écrin de bois en forme de drakkar inversé qui, tel un coffre aux trésors, contient les collections. La bibliothèque de Charlesbourg, implantée au cœur d'un arrondissement historique et dont l'inauguration est prévue pour l'automne 2006, reprend divers éléments expérimentés à la Grande Bibliothèque, dont les principes de transparence, d'accessibilité et de convivialité.

MSD a intégré l'équipe d'architectes de la Grande Bibliothèque en 2002, en tant que chargé de projet, pour la réalisation, les plans d'exécution et la surveillance du chantier.

C'est en 1961 qu'est née, à Montréal, la firme Webb Zerafa Menkès Housden Architectes, fondée par René Menkès et Peter Webb. En 1994, elle devient Menkès Shooner Dagenais Architectes, lorsque Yves Dagenais et Anik Shooner, collaborateurs de longue date, s'associent à René Menkès. En mai 2004, Jean-Pierre LeTourneux se joint à l'entreprise, qui devient Menkès Shooner Dagenais LeTourneux Architectes (MSDL).

L'équipe MSDL possède à son actif un nombre impressionnant de réalisations. Depuis ses débuts, MSDL est au cœur d'innovations conceptuelles et technologiques et a toujours été à la fine pointe des tendances mondiales, concevant, au Québec et à l'étranger, des immeubles et des ensembles qui témoignent des divers courants emblématiques de la modernité. Parmi ces réalisations, on trouve notamment de grands hôtels, des édifices pour l'industrie pharmaceutique et la haute technologie, des immeubles corporatifs, des centres sportifs et de loisirs, des ensembles de logements collectifs, des établissements à vocation éducative institutionnelle, ainsi que des musées et des équipements culturels. De ces édifices spécifiquement adaptés à leurs missions se dégagent rigueur et originalité.

Parmi les principales réalisations de Menkès Shooner Dagenais LeTourneux, mentionnons l'Agence spatiale canadienne, à Saint-Hubert, les nouveaux pavillons J.-A.-Bombardier et Lassonde pour l'École Polytechnique et l'Université de Montréal, le Musée du Fjord, le Casino du Lac

Leamy à Gatineau et la rénovation de bâtiments institutionnels tels que le Casino de Montréal, le Musée régional de Rimouski, la bibliothèque de théologie du Collège Jean-de-Brébeuf ou la station de pompage Youville du Musée Pointe-à-Callière. L'agrandissement des pavillons de la Faculté de l'aménagement de l'Université de Montréal et celui de la Faculté de musique de l'Université McGill sont deux autres commandes institutionnelles importantes confiées à MSDL

qui ont démontré le talent de cette firme dans l'intégration d'édifices d'une autre époque à des ensembles contemporains, cohérents et d'une grande richesse architecturale.

Pavillon J.-A. Bombardier,
École Polytechnique, Université de Montréal.

LE CONCEPT ARCHITECTURAL

Le projet développé par l'équipe Patkau/Croft-Pelletier/Gilles Guité repose sur trois éléments essentiels : les chambres de bois, la promenade architecturale reliant les différents espaces de lecture et les matériaux utilisés. Ces trois repères sont liés entre eux par la notion d'appropriation chère aux concepteurs et qui doit permettre à tous les Québécois de s'identifier à ce nouvel équipement culturel grâce à un faisceau de références littéraires et matérielles. Afin de faciliter ce processus, les différents espaces de la Grande Bibliothèque sont en lien direct avec les éléments urbains environnants, par une relation physique (lien avec le métro, parcours urbain, jardins), par des jeux de regards (percées visuelles sur des points de repère urbains, transparence de l'enveloppe du bâtiment) ou par l'intégration de lieux d'animation pour le quartier (bouquinistes sur l'avenue Savoie, café et boutique, auditorium).

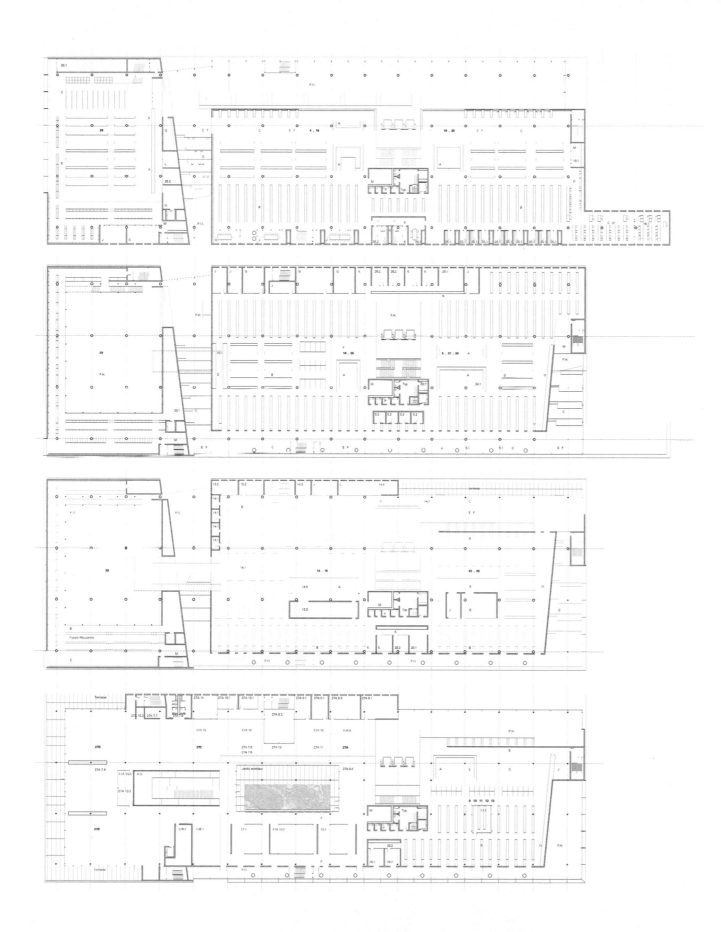

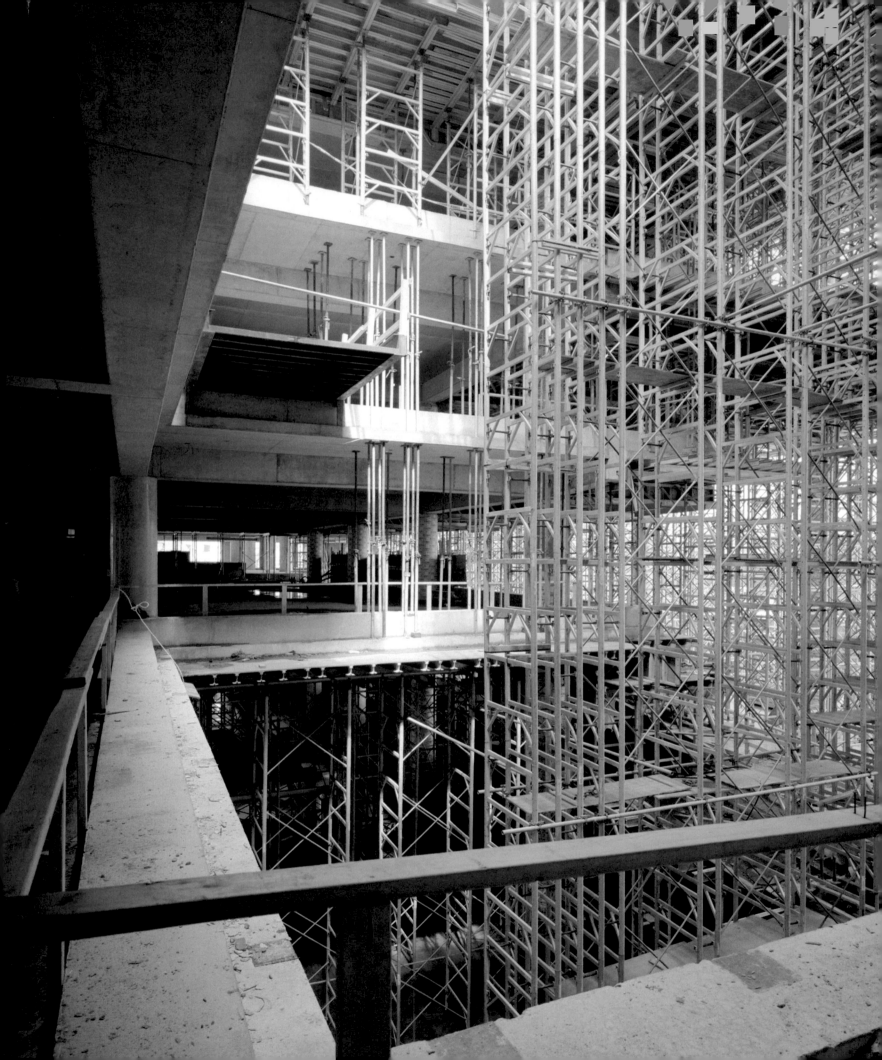

LES CHAMBRES DE BOIS

Les deux chambres de bois qui abritent les collections de la Grande Bibliothèque sont au centre du concept architectural retenu. Marie-Chantal
Croft, fille d'écrivaine, a toujours baigné dans la littérature et c'est à elle
qu'on doit l'idée des chambres de bois, référence au célèbre roman d'Anne
Hébert publié en 1958. S'inspirant de ce lieu si particulier né de l'imagi-
naire de l'auteure, les architectes ont voulu créer des écrins de bois où
seraient précieusement conservées les collections de la Bibliothèque.

Lors de l'élaboration du concept, les équipes ont analysé les différents
types d'organisation spatiale des bibliothèques et sont arrivées à la

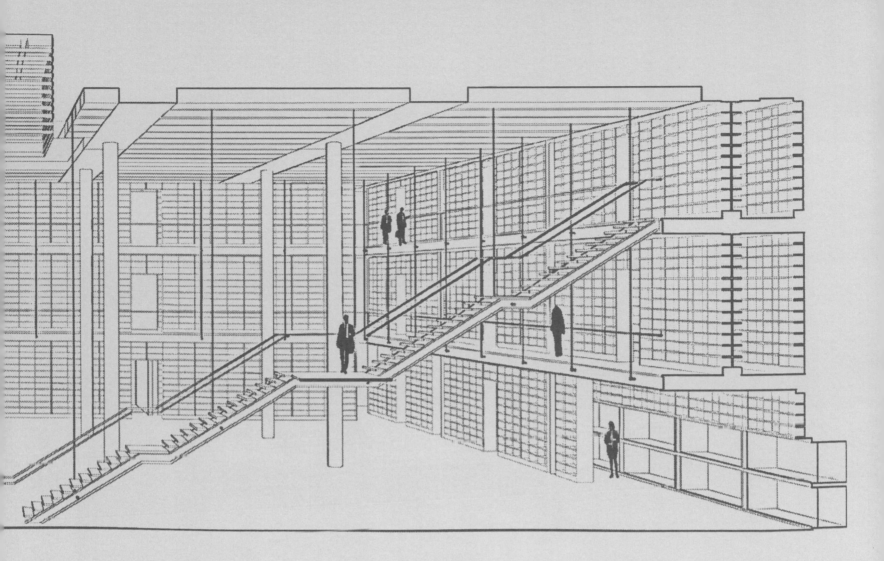

conclusion qu'il en existait deux grandes catégories dans l'histoire récente de la civilisation occidentale. Le premier est la bibliothèque classique, où l'espace de lecture est magnifié. Dans ces véritables temples du savoir, l'espace central est habituellement composé d'un volume de grande hauteur autour duquel sont rangés les livres qui sont libres d'accès. Un parcours cérémonial composé de plusieurs espaces en enfilade conduit habituellement l'usager à partir de l'entrée de l'édifice jusqu'au cœur de la bibliothèque, l'espace de lecture principal. L'un des archétypes de ce modèle est l'ancienne Bibliothèque nationale de France à Paris, appelée aujourd'hui le site Richelieu, dont les différentes composantes ont été érigées au cours des XVIIIe et XIXe siècles. La salle ovale, tapissée de livres

et éclairée par des grandes coupoles de verre, est un excellent exemple de l'image classique des grandes bibliothèques. À Montréal, l'archétype du genre est la Bibliothèque Saint-Sulpice, rue Saint-Denis.

Le deuxième type, la bibliothèque contemporaine, crée habituellement une séparation beaucoup plus marquée entre les lieux de conservation et de lecture. Étant donné le nombre toujours croissant de documents, les livres doivent souvent être conservés dans des magasins ou entrepôts, sans accès direct pour le public, ce qui rompt le contact physique et visuel entre les espaces de lecture et les rayonnages. La nouvelle Bibliothèque nationale de France, le site François-Mitterrand, conçue par

l'architecte Dominique Perrault (1989-1995), constitue un bon exemple de ces grands entrepôts de livres auxquels les lecteurs n'ont qu'un accès limité. Bien que les espaces de lecture soient variés et souvent intéressants au point de vue architectural, on réussit rarement à y recréer l'ambiance si caractéristique des anciennes bibliothèques.

Pour la Grande Bibliothèque, les architectes ont opéré un compromis entre ces bibliothèques classiques et contemporaines afin de recréer un contact entre les espaces de rayonnage et les espaces de lecture. La principale chambre de bois, qui abrite la Collection universelle de prêt et de référence, est située au centre de l'édifice avec un libre accès aux rayons, dont les espaces de lecture ne sont jamais très éloignés. Pour la chambre de bois dédiée à la Collection nationale, on a voulu se rapprocher du modèle de la bibliothèque classique en aménageant au centre un grand espace de lecture ouvert sur plusieurs étages, entièrement entouré de livres rangés sur des mezzanines. La magnificence de cet espace de lecture dégagé et éclairé par un puits de lumière rappelle plus que toute autre l'atmosphère des grandes bibliothèques des siècles passés.

À gauche, la salle de lecture de la Collection nationale.
Ci-dessus, une salle de lecture et l'édifice de
la Bibliothèque nationale de France — Site François-Mitterrand

LA PROMENADE ARCHITECTURALE

Le deuxième élément majeur du concept de la Grande Bibliothèque est le vaste déambulatoire qui se déploie autour de la principale chambre de bois, à la manière d'une large spirale où s'étagent les divers espaces de lecture. Cette idée de l'architecte Patricia Patkau d'intégrer à la fois les espaces de circulation et des terrasses de lecture en pourtour de l'écrin des collections, tout en restant en relation avec l'espace urbain environnant, a particulièrement séduit le jury du concours. Ce choix repose sur la théorie de la compression d'espaces (*collapsed spaces*), qui met en étroite relation les différents éléments constituants d'un projet. Ainsi, les espaces publics de la ville et ceux de la bibliothèque se fondent afin de dialoguer, d'interagir en s'animant et en s'appuyant mutuellement. De cette façon, les fonctions du programme de la bibliothèque, à l'exception des collections, et les composantes de l'espace urbain se superposent et se juxtaposent au sein d'un assemblage subtil, où les limites de chacune d'entre elles s'estompent.

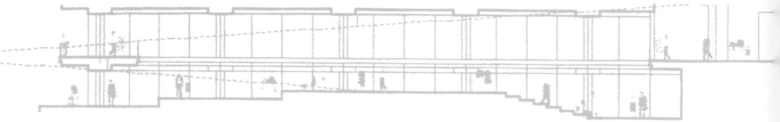

Les espaces de la bibliothèque se sculptent autour de l'espace public de la ville et s'y conjuguent, provoquant un effet d'ondulation continu : en pente, en paliers, en terrasses, en dénivellations multiples. Ainsi, au niveau du métro et au niveau de la rue, les fonctions d'accueil et d'orientation, de conférences et d'expositions, le café-bistro et les bouquinistes se mêlent aux activités de la ville. Les visiteurs en provenance du métro ont un contact direct avec la lumière du jour. À partir de la rue intérieure que constitue le grand hall, une succession de rampes, d'escaliers et de terrasses traduit un mouvement topographique continu, une liaison verticale et horizontale des espaces de la ville et de la bibliothèque. L'escalier central et les ascenseurs panoramiques,

aménagés dans un grand puits ouvert, surplombent la salle d'exposition et l'Espace Jeunes. Au fur et à mesure de l'ascension à travers la bibliothèque, toujours en circulant autour des chambres de bois, les espaces aux configurations et aux ambiances variées se succèdent, tout comme les différents regards sur la ville. Une vue cadrée tantôt sur le mât du Stade olympique, sur le pont Jacques-Cartier ou sur la croix du mont Royal permet constamment de situer la bibliothèque dans la ville à partir de divers points de repère et de l'ancrer dans le paysage montréalais. La circulation dans la bibliothèque devient ainsi un enchaînement inattendu d'expériences spatiales et fonctionnelles, dans le prolongement visuel de la ville.

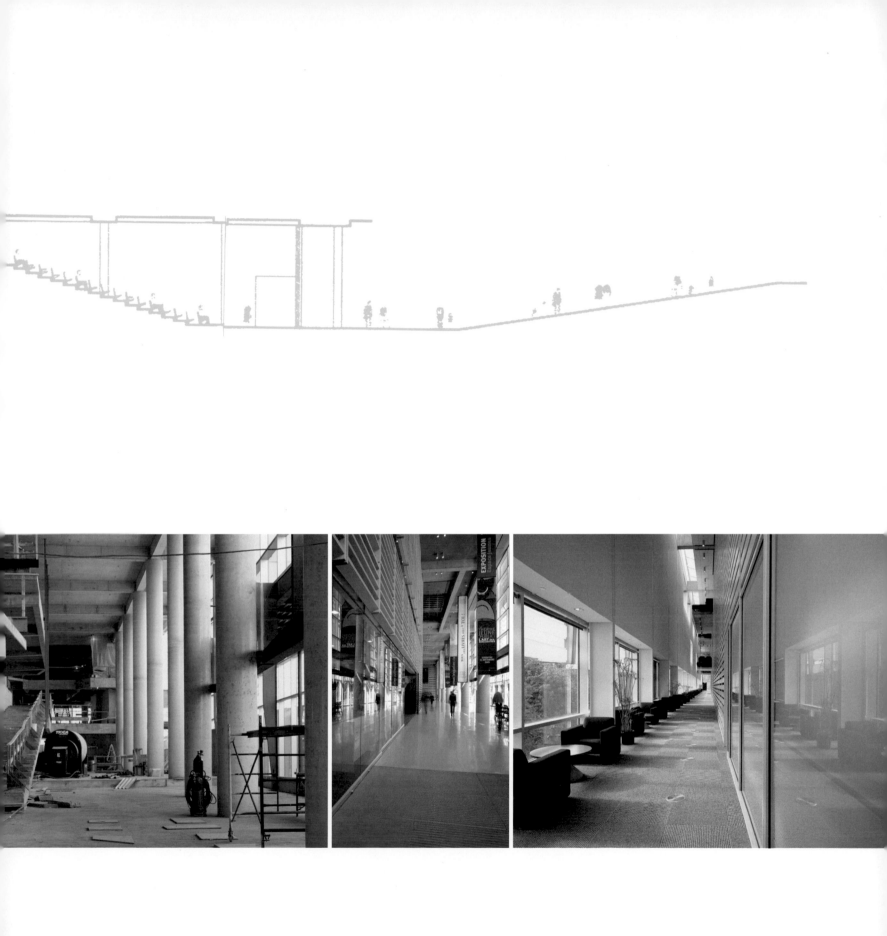

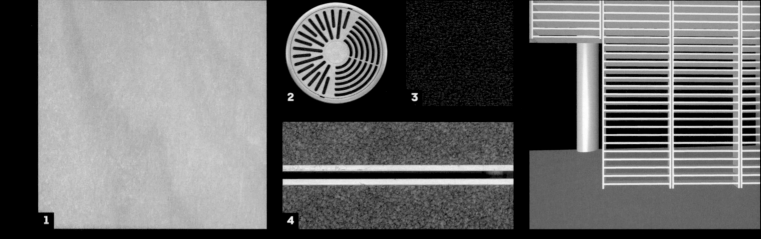

1. Bouleau jaune utilisé pour construire les chambres de bois.
2. Bouche d'aération des planchers surélevés.
3. Tissu des sièges de l'auditorium.
4. Grille gratte-pied aux entrées de l'édifice.
5. Tissu acoustique.
6. Carreaux de tapis dont la couleur est similaire à du béton.
7. Terrazzo des planchers du grand hall.
8. Aluminium des escaliers.
9. Linoléum des comptoirs.

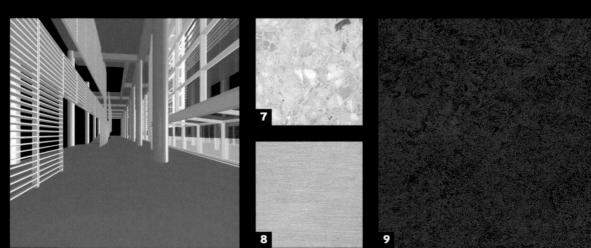

LES MATÉRIAUX

Afin que les Québécois puissent s'identifier à la Grande Bibliothèque et s'approprier véritablement l'édifice, il était essentiel que les matériaux utilisés aient une forte signification culturelle et une claire portée référentielle. Le projet ne devait pas être étranger au milieu dans lequel il s'insère, tant d'un point de vue culturel que matériel. Le choix et la disposition des matériaux sont donc intimement liés au concept de base. Les principaux éléments de finition intérieure sont québécois : bois et verre pour les cloisons, terrazzo pour les planchers du grand hall ; ceux utilisés pour l'enveloppe extérieure sont le cuivre, le verre et l'aluminium. La structure de l'édifice, dont les poutres et colonnes sont apparentes, est quant à elle entièrement réalisée en béton armé.

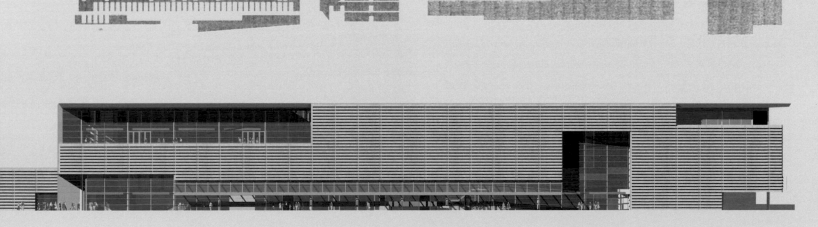

Illustration présentant la répartition de deux des matériaux de finition, le bois et le verre.

Le bois est le matériau de construction par excellence au Québec. Tant dans la culture amérindienne que chez les Européens qui ont importé ici leur manière de construire, la matière ligneuse est omniprésente dans l'architecture domestique. Qu'il soit équarri, scié, découpé, sculpté ou bien détaillé en poutres de charpente, en planches à clins, en bardeaux ou en ornements ouvragés, le bois occupe une place de choix dans les paysages bâtis québécois. À la Grande Bibliothèque, il se voit doté d'un rôle tout à fait nouveau, celui de protéger ce qui est le plus précieux : les collections. Sous la forme de parois composées de lames de persiennes inclinées, les murs de bois servent en quelque sorte de filtres pour la lumière. Ils sont ainsi semi-opaques et laissent entrevoir le trésor tout en le protégeant des rayons du soleil.

Cet usage inusité du bois, couplé à des éléments d'aluminium et de verre, contribue à offrir à l'édifice transparence, ouverture et clarté. Les filtres jouent avec la lumière et créent des ambiances variées dans les divers espaces de la bibliothèque. À travers les parois, la lumière pénètre à l'intérieur le jour et se projette vers l'extérieur la nuit, créant des effets magiques. Par opposition à la perception massive du volume, la forte présence du verre, l'articulation des filtres qui introduisent une lumière contrôlée donnent texture et légèreté à l'ensemble.

Cette association de matériaux, prévue dans le concept initial des architectes Patkau/Croft-Pelletier/Gilles Guité a évolué au fil de la conception de l'édifice. Les parois des chambres de bois, initialement prévues en érable, ont finalement été conçues en bouleau jaune, l'un des trois emblèmes officiels du Québec (avec l'iris versicolore et le harfang des neiges) et les surfaces de plancher qui devaient être revêtues de granit ont été réalisées en terrazzo. À l'extérieur, les surfaces de cuivre ont été réduites au profit du parement de lames de verre dépoli qui constitue dorénavant le principal matériau de composition des façades.

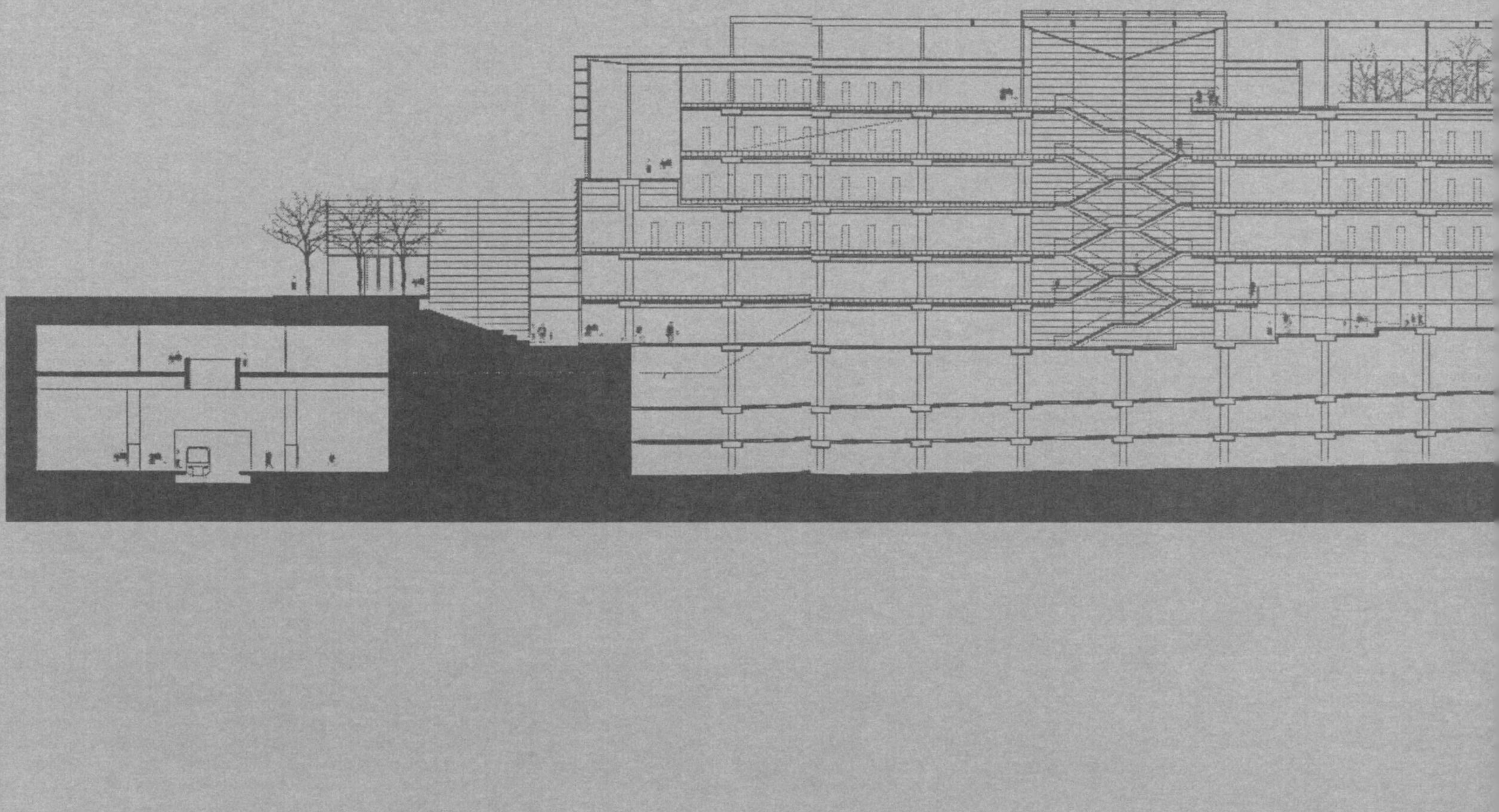

DU CONCEPT À LA RÉALITÉ : LA CONSTRUCTION ET L'AMÉNAGEMENT DE LA GRANDE BIBLIOTHÈQUE

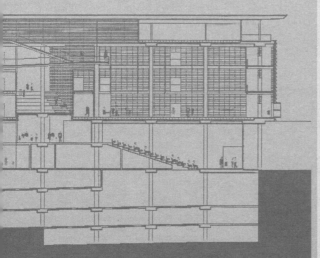

Bâtir un édifice de l'envergure de la Grande Bibliothèque est un exercice complexe qui, de l'idée originale jusqu'à la livraison finale de l'édifice, en passant par toutes les étapes de conception et de design, d'élaboration des plans et devis, de suivi des phases de construction, s'est étalé sur plusieurs années. Durant cette période, le projet a évolué, il s'est adapté à mille contraintes rencontrées en chemin, et le résultat final est donc, comme pour toute entreprise architecturale d'importance, légèrement différent du projet initial.

À l'issue du concours, les membres des bureaux Patkau et Croft-Pelletier avaient pour tâche de détailler leur proposition et de produire tous les plans d'architecture. Dès cette étape, certaines idées initiales ont été confrontées aux budgets disponibles, aux contraintes techniques et aux préoccupations de dizaines d'intervenants concernés par le projet, comme les ingénieurs, les représentants des services publics ou les spécialistes en bibliothéconomie. Des choix de design et divers compromis ont dû être effectués, mais de façon générale, le projet n'a pas été affecté de façon significative. Et cela, d'autant plus que le Bureau de la planification et de la gestion du projet de construction avait pour rôle de s'assurer, tout au long du processus de conception et de construction de l'édifice, que le concept initial des architectes lauréats du concours soit respecté le plus possible.

UNE BIBLIOTHÈQUE AU CŒUR DE LA VILLE

L'un des éléments essentiels du concept architectural de la Grande Bibliothèque est sa relation avec la ville et l'espace urbain environnant. Le site du Quartier latin ayant été choisi en raison de la proximité d'éléments urbains importants, le projet devait tirer parti de cet emplacement de choix, situé au carrefour de plusieurs réseaux : transport en commun, vie culturelle,

cité universitaire, artères commerciales, quartier des théâtres. L'un des principaux gestes accomplis par les architectes pour répondre à cet impératif a été de créer un lien direct avec la station de métro Berri-UQAM, non seulement par un passage souterrain, mais aussi en aménageant une place en contrebas, en rez-de-jardin de la bibliothèque, c'est-à-dire au niveau mezzanine de la station, où est situé l'Espace Jeunes. Ce parvis légèrement enfoncé par rapport au boulevard De Maisonneuve et à la rue Berri rend visible la bibliothèque de l'intérieur du réseau de métro. La cour surbaissée permet donc un jeu de regards entre le nouvel équipement culturel et le Montréal souterrain.

La situation privilégiée de la Grande Bibliothèque permet aussi d'entretenir différents dialogues avec le parc Émilie-Gamelin, la Station centrale d'autobus, les édifices de l'Université du Québec à Montréal et la rue Saint-Denis, à travers des vues cadrées de l'intérieur de la bibliothèque ou par des espaces publics aménagés le long de l'édifice. Par exemple, plusieurs fenêtres de l'espace de lecture Savoie offrent des perspectives du côté de l'avenue voisine du même nom, typique ruelle de Montréal. Cette ouverture sur la ville offre des panoramas urbains variés : l'arrière des triplex de la rue Saint-Denis au premier plan, la montagne et les gratte-ciel du centre-ville en arrière-plan, la partie supérieure du Théâtre Saint-Denis, etc. À l'extérieur,

les piétons auront le loisir de fréquenter les bouquinistes installés le long de l'édifice, animant ainsi cet espace urbain que la place Paul-Émile-Borduas ouvre sur la rue Saint-Denis.

À l'angle de la rue Berri et du boulevard De Maisonneuve, une grande sculpture de l'artiste Jean-Pierre Morin, visible du parc Émilie-Gamelin, signale l'entrée principale de la bibliothèque, et tout le long de la promenade architecturale intérieure,

des vues sur l'extérieur nous interpellent. Ce dialogue constant entre l'intérieur et l'extérieur varie toutefois selon l'heure du jour. Pendant la journée, on regarde surtout vers la ville à travers les percées ou les grandes baies vitrées. La nuit, c'est la bibliothèque qui devient objet du regard. L'éclairage intérieur permet ainsi de contempler de l'extérieur les grandes chambres de bois, qui sont clairement identifiables.

LA VOLUMÉTRIE ET LES FAÇADES

De forme allongée pour épouser la forme étroite du site, l'édifice de la Grande Bibliothèque s'étend au sud du terrain, laissant ainsi la partie nord jusqu'à la rue Ontario libre de construction. Tel un grand navire dont la proue s'avance vers le boulevard De Maisonneuve, l'édifice de six étages est compact et ne comporte que peu d'éléments en saillie qui viennent articuler le grand volume rectangulaire. Seule une extension le long de l'avenue Savoie s'avance vers le boulevard De Maisonneuve pour venir, en quelque sorte, refermer la place en contrebas aménagée à l'entrée de la bibliothèque. Du côté de la rue Berri, la partie nord de la façade subit une légère inflexion. Certaines parties des étages inférieurs sont un peu en retrait, créant ainsi des jeux de plans verticaux où les avancées et les reculs contribuent à rythmer cette longue façade de verre. Les étages supérieurs en porte-à-faux viennent quant à eux protéger l'entrée principale et la verrière du grand hall.

Les façades de la bibliothèque, différentes sur chaque côté, en constituent la principale vitrine, l'interface entre l'institution et le public. Leur traitement architectural devait donc refléter ce que l'on trouve à l'intérieur du bâtiment et souligner, dans une approche contemporaine, les principales valeurs de la Grande Bibliothèque : l'ouverture et la transparence. Les façades donnant sur la rue Berri et le boulevard De Maisonneuve, grandement exposées à l'espace public et servant à l'accueil des usagers, sont ainsi largement vitrées afin de laisser transparaître le bouillonnement culturel qui anime l'intérieur du lieu. La partie nord, plus opaque, est propice à la conservation de la Collection nationale. Par ailleurs, pour tenir compte des facteurs climatiques et de l'ensoleillement, certaines parties des façades sont conçues différemment, tout en conservant une harmonie et une unité d'ensemble.

Des jeux de pleins et de vides, de translucidité et d'opacité, d'ombre et de lumière sont créés de la sorte par les successions de plans et l'ajout d'éléments comme des pare-soleil.

Les profilés de verre posés à l'horizontale accentuent l'effet de strates des façades. Tous les 4,5 mètres, des montants de cuivre oxydé cassent cette horizontalité en rythmant de façon verticale les parois de verre dépoli. Le fenêtrage respecte également cette trame modulaire qui organise et structure les élévations de l'édifice. Ainsi, des bandeaux de fenêtres horizontaux, de simples percées dans le mur ou de grandes parois vitrées apparaissent à différents niveaux de l'édifice, en conservant toutefois à chacune des façades rigueur et cohérence. Le type d'ouvertures varie selon les fonctions et les événements intérieurs, ce qui permet de deviner la configuration de certains espaces de lecture à partir de l'extérieur de l'édifice. Par exemple, près de l'espace de lecture sud aménagé en gradins, les fenêtres suivent l'étagement des différentes terrasses. Du côté ouest, les percées pratiquées à différentes hauteurs laissent, quant à elles, entrevoir la présence des balcons caractéristiques de l'espace de lecture Savoie.

UNE ENVELOPPE EXTÉRIEURE DES PLUS ORIGINALES

L'édifice de la Grande Bibliothèque est composé de différentes couches successives qui en protègent le cœur, les collections, contre les éléments extérieurs. Une première « enveloppe intérieure », la chambre de bois, préserve les livres de la lumière directe. Vient ensuite l'« enveloppe extérieure », composée de différentes strates verticales qui ont chacune leur fonction. Constituée de verre, de cuivre, d'aluminium et d'acier, cette couche extérieure, en plus de protéger les usagers et les livres des écarts thermiques et des intempéries, confère une apparence contemporaine à l'édifice.

Conçues à la manière d'un mur-rideau, puisque les parois extérieures sont littéralement accrochées au bâtiment, les façades sont indépendantes de la structure de l'édifice. Le parement extérieur est constitué de lames de verre en forme de « U », posées à l'horizontale et rythmées de façon régulière par des montants de cuivre qui se déploient sur toute la hauteur du bâtiment. La composante visuelle remarquable que constituent les lames de verre décoratif est soutenue par une sous-structure d'aluminium et maintenue en place par des griffes en acier inoxydable. Derrière cet écran, une tôle ondulée d'acier galvanisé protège le mur extérieur contre les intempéries. Cette tôle contribue aussi à réfléchir la lumière naturelle sur le verre qui s'anime en fonction des variations de l'éclairage naturel.

L'utilisation de ce type de revêtement est une première en Amérique du Nord. Les quelque 6 000 lames de verre dépoli, trempé et enduit d'un revêtement de céramique translucide vert glacier, évocateur des paysages nordiques, ont été fabriquées au Québec.

LES CHAMBRES DE BOIS

Les chambres de bois ont un caractère unique et se démarquent nettement des autres espaces de la bibliothèque notamment par leurs hautes parois qui se prolongent sur tous les étages et par leur ambiance particulière. Alors que les lieux de circulation et de lecture sont généreusement éclairés, hauts et ouverts sur l'extérieur, les chambres de bois possèdent des plafonds plus bas et l'ambiance y est plus feutrée en raison de la lumière tamisée, de certains murs peints en noir et de l'environnement sonore absorbé par la présence des livres et du mobilier de rayonnage.

Les écrans de bois sont fabriqués en bouleau jaune du Québec, communément appelé merisier. Produites en usine, en panneaux modulaires, les parois de bois ajourées peuvent marier diverses fonctions. Tantôt simples cloisons filtrant la lumière à travers des lames de persiennes inclinées, tantôt complètement opaques, elles deviennent partie intégrante du rayonnage en accueillant des livres ou en servant de garde-corps pour des espaces situés en mezzanine. Partout dans la bibliothèque, les chambres de bois sont clairement identifiables, ce qui permet à l'usager de se repérer dans l'espace. Dans le grand hall de la rue Berri ouvert sur plusieurs étages, on perçoit bien la continuité de la chambre de bois sur les différents niveaux et mezzanines. Le soir venu, un éclairage dirigé met en valeur ces parois de bois visibles de la rue.

DU CONCEPT À LA RÉALITÉ

La plus grande chambre de bois, où les usagers peuvent circuler en toute liberté, abrite la Collection universelle de prêt et de référence. Ceinturée par une longue promenade architecturale constituée d'espaces successifs de circulation et de lecture, elle contient les documents accessibles au prêt. La flexibilité des espaces de rayonnage à l'intérieur de la chambre de bois permet de déplacer les collections. Les parois de bois ajourées laissent pénétrer une lumière diffuse, tout en protégeant les livres de la lumière directe. Les rayonnages sont orientés perpendiculairement à la rue Berri, ce qui permet de conserver des percées visuelles vers l'extérieur.

La partie nord de l'édifice, dévolue à la Collection nationale, est l'écrin réservé à la Collection patrimoniale québécoise, offerte à la consultation sur trois niveaux. Le concept de la chambre de bois est ici inversé. Le dépôt de livres se situe en périphérie, près des parois opaques de l'extérieur, alors que l'espace de lecture occupe le centre du grand volume. Les lecteurs sont donc enchâssés dans la chambre de bois autour de laquelle les livres sont disposés sur des mezzanines. Cet espace de lecture central est éclairé par un puits de lumière, qui crée une atmosphère plus feutrée. Seul un grand escalier en acier noir suspendu, conçu tel une sculpture dans cet espace unique, crée un dialogue entre la structure apparente en béton et la chaleur des parois de bois.

CIRCULATION VERTICALE ET PROMENADE ARCHITECTURALE

De la rue publique intérieure du rez-de-chaussée, on entre dans la bibliothèque par un seul et même point de contrôle, servant à la fois aux usagers
et au personnel. Cette entrée unique permet aussi bien d'accéder à tous les
secteurs de l'édifice qu'aux espaces ouverts aussi le soir, grâce à un dispositif de portes et de cloisons qui isolent certaines sections. À partir de ce
point, l'usager a toute liberté de circuler dans la bibliothèque.

De là, plusieurs choix s'offrent à lui. L'atrium central accueille un escalier
monumental en acier noir et en terrazzo suspendu à la structure ainsi que
trois ascenseurs entièrement vitrés. Ce puits de circulation verticale à

l'intérieur de la plus grande chambre de bois permet de se rendre rapidement à un point précis de la bibliothèque. Si l'usager préfère déambuler et
prendre son temps, il peut aussi circuler à travers une succession d'espaces
variés situés en périphérie du bâtiment, tout autour des chambres de bois
contenant les collections. Ces aires communicantes relient graduellement
le rez-de-chaussée au troisième étage, tel un grand escalier hélicoïdal.
L'omniprésence des parois de la chambre de bois et des vues sur l'extérieur permet aux usagers de se repérer facilement dans l'espace. Rampes,
terrasses en gradins, paliers, mezzanines, balcons et espaces de lecture
se succèdent et créent des atmosphères diverses selon la hauteur des plafonds, le dégagement des espaces, les vues et panoramas sur l'extérieur
ainsi que l'éclairage changeant selon l'heure du jour. Des perspectives ou-
vertes aux petites salles intimistes, ces lieux correspondent à la multipli-
cité des espaces distincts qui constituent une bibliothèque du XXIᵉ siècle,
lieu d'accueil et d'appropriation du savoir sous toutes ses formes. Les lecteurs ont ainsi le choix du type d'atmosphère qu'ils désirent : douce ou
animée, très éclairée ou baignant dans une lumière filtrée.

À partir du rez-de-chaussée, une longue rampe constituée d'une succession de petits paliers que l'on gravit à la manière d'un escalier longe le
grand hall et le puits de circulation central et conduit jusqu'aux portes de
la Collection nationale. De là, on peut accéder à diverses collections ou
continuer son ascension par un autre espace aux dimensions généreuses.
Composé d'un escalier et de terrasses de lecture aménagées en gradins,
cet espace en forme d'entonnoir crée une faille entre les deux chambres de
bois, dont les cloisons sont opaques du côté de la Collection nationale
mais ajourées du côté de la Collection universelle de prêt et de référence.

L'espace de lecture Savoie, haut et étroit, qui borde l'avenue du même
nom est doté de parois vitrées qui offrent des perspectives variées sur le
paysage urbain. Recevant en abondance la lumière naturelle, ponctuée
de petits balcons en projection et équipée d'un confortable mobilier de

lecture, cette terrasse unique permet de ressentir le contraste entre la promenade et les chambres de bois, à l'ambiance plus intime.

À l'autre extrémité du bâtiment, du côté du boulevard De Maisonneuve, près de la section des cartes et plans, de nouvelles terrasses de lecture en gradins mènent à l'étage supérieur tout en offrant des coins de lecture agréables et bien délimités. Cette fois, les paliers ont un contact avec l'extérieur, ce qui permet d'offrir de nouvelles percées visuelles sur la ville. Enfin, la promenade architecturale se termine dans un espace de lecture ouvert sur la rue Berri, de double hauteur, lumineux, aménagé juste au-dessus du grand hall d'entrée et rythmé par la colonnade de béton. Une ouverture en mezzanine le long de la chambre de bois offre une vue verti-gineuse en plongée sur plusieurs étages, jusqu'à l'entrée principale. Tout au long de ce parcours, on sent parfaitement l'amalgame entre es-paces fonctionnels et aires de circulation. On perçoit également une hié-rarchie spatiale marquée par des changements d'atmosphère dans les différents espaces.

LA RUE INTÉRIEURE

La Grande Bibliothèque a été conçue pour être une extension naturelle des espaces publics extérieurs, que l'on y arrive par les différentes rues ou places qui bordent le site ou tout simplement par la station de métro. Ainsi, un réseau d'espaces intérieurs, accessibles à tous et en tout temps, nous accueille dans l'édifice avant même que l'on pénètre dans la zone contrôlée de la bibliothèque. Le hall principal, situé le long de la rue Berri, impressionne par ses dimensions et la luminosité offerte par la transpa-rence des parois extérieures à cet endroit. Ouverte sur trois étages, cette rue intérieure bordée d'une grande colonnade est animée à toute heure du jour, en raison du va-et-vient constant engendré par le passage obligé de tous les usagers et employés de la Grande Bibliothèque qui conver-gent vers l'unique entrée de la zone contrôlée. De même, le grand hall devient un espace public protégé où l'on trouve une boutique, une aire

d'exposition, un auditorium de 300 places. Ces fonctionnalités sont indépendantes de l'accès aux collections et peuvent être utilisées pour d'autres fins, sans que l'on ait à entrer dans la bibliothèque. Certains espaces offerts en location peuvent, par exemple, permettre la présentation d'une pièce de théâtre, ou d'un colloque privé, sans entrer en conflit avec les autres activités de la bibliothèque.

Par ailleurs, le grand hall et la traversée qui conduit à l'entrée de l'avenue Savoie sont stratégiquement positionnés et deviennent un lieu de passage entre la rue Saint-Denis et le métro, entre le parc Émilie-Gamelin et le stationnement souterrain, et entre la rue Ontario et la rue Sainte-Catherine. Les espaces publics intérieurs se trouvent donc constamment en continuité avec la vie urbaine, et la Grande Bibliothèque est directement reliée au Montréal souterrain. À partir de la Grande Bibliothèque, on peut ainsi se rendre jusqu'au pavillon de design de la rue Sanguinet à l'ouest, jusqu'au pavillon Hubert-Aquin du boulevard René-Lévesque Est au sud et jusqu'à la Place Dupuis à l'est, en passant par tous les autres pavillons du campus de l'Université du Québec à Montréal, la Station centrale d'autobus et, bien sûr, le métro, sans jamais sortir à l'extérieur.

L'ESPACE JEUNES

Une bonne partie de la surface de plancher du niveau métro est spécialement aménagée pour les jeunes usagers de 13 ans et moins. Décoré de manière ludique avec ses murs jaune d'or et ses différents éléments de couleur rouge, bleu et jaune, l'Espace Jeunes revêt un caractère spécial. Il comprend des aires de jeux et d'animation pour les enfants, un atelier de créativité, un mini-théâtre, des postes informatiques et de visionnement de films, ainsi que le Centre québécois de ressources en littérature pour la jeunesse.

Ici, tout est à l'échelle des petits. L'escalier qui conduit à l'Espace Jeunes comporte des contremarches légèrement plus basses et deux hauteurs de main courante afin que les enfants s'y sentent à l'aise et en sécurité. Le mobilier ainsi que les modules de jeux ont quant à eux été conçus spécialement pour les enfants par le designer Michel Dallaire. Offrant une vue sur le jardin de la cour anglaise et l'escalier roulant de l'accès au métro, l'espace de la bibliothèque destiné aux jeunes profite d'un bon éclairage naturel.

LES AIRES RÉSERVÉES AU PERSONNEL

Si la majeure partie des espaces de la Grande Bibliothèque est accessible au grand public, certaines aires sont strictement réservées au personnel de l'institution pour les activités liées à l'administration, au triage ou au catalogage des documents ainsi qu'à la sécurité ou à l'entretien de l'édifice. On trouve également dans l'édifice des aires de repos pour les employés ainsi que des espaces réservés à la mécanique du bâtiment. Tout comme la circulation des personnes à travers la bibliothèque, la circulation des livres et des documents doit répondre à des normes d'efficacité et de sécurité. Ainsi, aussitôt qu'un usager rapporte un livre ou un document emprunté, celui-ci est acheminé par convoyeur mécanique vers la salle de triage située au niveau métro. Les livres triés remontent ensuite à leur étage respectif par ascenseur dans une section de la bibliothèque réservée aux employés et sont rapidement reclassés dans les rayons par le personnel. Des ascenseurs ont été spécialement aménagés dans les aires réservées aux employés, afin de ne pas gêner la circulation des usagers. Ces ascenseurs relient le débarcadère de l'édifice, situé avenue Savoie, à chacun des étages et aux bureaux administratifs du dernier étage.

Les bureaux des différentes unités administratives de la Grande Bibliothèque, à l'exception de ceux des bibliothécaires qui ont des espaces de travail à chacun des niveaux près des collections dont ils ont la responsabilité, sont regroupés au quatrième étage, dans la partie nord de l'édifice. En plus des bureaux, postes de travail et salles de réunion, on y trouve la salle du conseil d'administration et le bureau de la présidente-directrice générale, tous deux lambrissés de bois. Par ailleurs, le bureau de la présidente offre une impressionnante vue en plongée sur l'espace de lecture Berri, le grand hall et l'entrée principale. Deux puits de lumière pratiqués dans le toit, dont l'un éclaire aussi la chambre de bois contenant la Collection nationale située juste au-dessous, amènent de la lumière naturelle dans les espaces de bureaux et dans certaines salles de réunion. À l'autre extrémité du dernier étage, en bordure du boulevard De Maisonneuve, une salle équipée d'une cuisine, largement ouverte à la lumière naturelle et offrant de magnifiques vues sur la ville, est réservée aux 500 employés qui travaillent dans l'édifice.

Ci-dessus, salle de réunion pour les employés.
À gauche, salle du conseil d'administration au niveau 4.

PLANCHERS SURÉLEVÉS ET SYSTÈME STRUCTURAL : DEUX ÉLÉMENTS CARACTÉRISTIQUES DE LA GRANDE BIBLIOTHÈQUE

DES ÉQUIPEMENTS TECHNIQUES SOUS NOS PIEDS

La conception innovatrice des planchers de la Grande Bibliothèque est assurément l'un des éléments les plus caractéristiques du bâtiment. Ce système spécifique était au centre d'une préoccupation majeure des architectes et des responsables de la Bibliothèque nationale du Québec,

celle de permettre à long terme une flexibilité des aménagements et un degré élevé de confort. La solution retenue a été de surélever tous les planchers de 60 cm au-dessus de la dalle de béton, afin de créer un vide technique où sont installés les équipements de mécanique, de ventilation, d'électricité et de télécommunications. Habituellement logés dans les plafonds suspendus, ces équipements techniques, comme le filage informatique, ont avantage à être près des usagers et accessibles pour l'entretien des infrastructures. Les panneaux qui composent les planchers, mesurant environ 60 cm par 60 cm (0,36 m^2), sont facilement démontables et interchangeables ce qui permet, par exemple, d'accéder aisément au câblage électrique ou aux conduits des extincteurs automatiques à l'eau (gicleurs), ou de déplacer une bouche d'aération afin de diriger l'air de climatisation vers un endroit précis. Ces espaces vides sous les planchers favorisent donc une plus grande commodité, une efficacité énergétique accrue, la mise à jour des infrastructures et le réaménagement des lieux, si besoin est. Par ailleurs, les plafonds restent ainsi tout à fait découverts, laissant apparaître la structure de béton.

Ce système innovateur a requis une certaine adaptation des habitudes de construction. Le fait d'installer tous ces équipements mécaniques au niveau des planchers a bouleversé le travail sur le chantier, et plus particulièrement les déplacements des ouvriers, tout au long de la construction de l'édifice. De plus, la séquence

habituelle des travaux a dû être inversée. Dans un chantier traditionnel, on commence les travaux d'aménagement intérieur et de finition architecturale par les niveaux inférieurs pour ensuite monter graduellement les différents étages de l'édifice. Ici, pour garder propre l'espace vide sous les planchers, afin que les conduits de ventilation demeurent exempts de poussière ou de saleté, les travaux d'aménagement ont débuté par l'étage supérieur, pour ensuite descendre étage par étage jusqu'au sous-sol. La poussière générée par les travaux ayant tendance à descendre, les espaces déjà finis et nettoyés demeurent ainsi tout à fait propres. Cette séquence de travaux demande bien sûr beaucoup plus de coordination lors de la construction, mais elle assure un niveau de propreté rarement égalé sur un chantier de cette envergure.

UN SYSTÈME STRUCTURAL CRÉATEUR D'ATMOSPHÈRES

Il était important pour les concepteurs de la Grande Bibliothèque que les ambiances intérieures de l'édifice soient créées par la qualité des espaces aménagés, par la variation de la lumière ainsi que par l'expressivité des matériaux utilisés, essentiellement le bois et le béton. L'accent devait donc être mis sur ces éléments et non sur une ornementation appliquée. Il était également exclu que des éléments structuraux, qu'on voulait laisser apparents, viennent nuire à la perception des grands espaces ouverts.

Les architectes ont donc opté pour une structure en béton armé composée de 18 travées en longueur et 6 travées en largeur. La structure de l'édifice est conçue selon le principe des cadres rigides, c'est-à-dire que la jonction des poutres et des colonnes en béton soutenant les dalles de plancher assure la rigidité aux mouvements latéraux. Chacune des connexions poutre/colonne possède donc son propre contreventement afin de lutter contre les déformations, ce qui évite la présence de murs ou d'éléments qui nuiraient à la continuité visuelle des espaces de la bibliothèque.

Les éléments de béton, tant au niveau des colonnes circulaires qu'à celui des poutres aux plafonds, demeurent visibles. Puisque ceux-ci ne sont pas cachés par des éléments de finition, il était important que leur apparence demeure soignée. Un fini lisse à la texture luisante, aux marbrures très esthétiques, a été donné aux colonnes en utilisant des coffrages recouverts d'une pellicule de milar.

UN MOBILIER EMBLÉMATIQUE

Les collections qu'abrite la Grande Bibliothèque prennent leur sens au moment où le lecteur les rencontre à travers l'acte de lire. Les chaises, les tables et les lampes de la bibliothèque deviennent alors les supports pratiques de ce moment privilégié. Elles doivent l'accompagner et créer l'aisance physique et ergonomique qui lui est indispensable. La diversité des lecteurs ou des usagers, par leur taille ou leur acuité visuelle par exemple, devient alors un défi. Tous doivent trouver confort, tant dans les moments de concentration que de mouvement. Comme l'édifice, les chaises, les tables et les lampes doivent donc être bien pensées et bien construites.

Par sa forme ou son matériau, chacun de ces éléments doit entretenir une relation étroite avec l'architecture des lieux, notamment avec les cloisons des chambres de bois. Le mobilier, que l'on trouve principalement dans les espaces de lecture, mais qui peut se décliner sous d'autres formes dans les autres espaces d'accueil du public, participe de façon essentielle à l'accomplissement des missions de la bibliothèque.

UN DEUXIÈME CONCOURS POUR LA GB

Afin de doter le futur édifice de meubles emblématiques, fonctionnels et esthétiques, intégrés à l'architecture du bâtiment, la Grande Bibliothèque a lancé en septembre 2001 un concours de design de mobilier. Ce concours était une première au Québec pour le milieu du design. Il visait à recruter un ou plusieurs designers québécois pour concevoir les chaises, les tables et les lampes de lecture de la bibliothèque. Le lauréat du concours aurait également le mandat de développer les prototypes, de superviser la fabrication et d'assurer le suivi de la production en série des pièces de mobilier.

Tout comme le concours international d'architecture, le concours de design s'est déroulé en deux étapes. La première étape consistait en un appel de candidatures. Étaient admissibles les designers, à titre individuel ou faisant partie d'une société ou d'un regroupement, qui étaient membres de l'Association des designers industriels du Québec ou de la Société des designers d'intérieur du Québec et qui avaient leur résidence ou leur siège social au Québec. Les candidats détenant un diplôme universitaire dans le domaine du design (intérieur, industriel, meuble, architecture) pouvaient également présenter leurs projets.

Le jury, constitué de neuf membres, réunissait :

- Bernard Lamarre, président du conseil d'administration du Groupe Bellechasse Santé, ex-président du conseil d'administration de l'Institut de design de Montréal et président du jury;
- Lise Bissonnette, présidente-directrice générale de la Grande bibliothèque du Québec;
- Jacques Coutu, designer industriel, professeur au Département de design de l'Université du Québec à Montréal;
- Marie-Josée Lacroix, commissaire au design de la Ville de Montréal;
- Yvon-André Lacroix, directeur général de la bibliothéconomie de la Grande bibliothèque du Québec;
- Albert Leclerc, directeur de l'École de design industriel de la Faculté d'aménagement de l'Université de Montréal;

- Mary Jane Long, architecte spécialisée en construction de bibliothèques, directrice de Long & Kentish architects, Londres;
- Richard Martel, designer d'intérieur chez BCS + M architectes et designers, Chicoutimi;
- John Patkau, architecte du bâtiment de la Grande Bibliothèque.

Les candidats devaient soumettre un portfolio résumant leurs principales réalisations, les qualifications de leur équipe, leur approche conceptuelle, leur intérêt pour le projet et l'assurance-qualité offerte. À partir des dossiers déposés, le jury a retenu 5 finalistes parmi les 27 concurrents qui avaient soumis leur candidature.

- DIBIS inc. en collaboration avec Design + Communication inc.;
- Godbout, Plante, Alavanthian enr.;
- HippoDesign inc.;
- Michel Dallaire Design Industriel inc.;
- Morelli & Sportes.

Dans une deuxième étape, ces cinq firmes étaient invitées à concevoir des esquisses pour les trois éléments du mobilier mis en concours. Le jury les a évalués en fonction des critères suivants : leurs qualités fonctionnelles, formelles et écologiques, leur harmonisation avec l'architecture

De gauche à droite, M. Michael Santella; M. Koen DeWinter;
M. Charles Godbout; M. Cedric Sportes; M. Michel Dallaire et M. Michel Morelli.

458

602

595

64

229

900

186

444

629

515

515

du bâtiment, la cohérence du design avec les exigences techniques et commerciales ainsi que le respect du budget prévu. Les cinq concurrents ont reçu 15 000 $ chacun pour leur prestation. Le choix du lauréat a été dévoilé en janvier 2002.

Après l'examen de chacun des dossiers, le jury du concours de design de mobilier de la Grande Bibliothèque a retenu à l'unanimité la proposition soumise par la firme Michel Dallaire Design Industriel inc. Une mention spéciale a également été décernée au projet de la firme DIBIS inc. en collaboration avec Design + Communication inc.

L'UNIVERS DALLAIRE

Le jury a particulièrement apprécié les qualités fonctionnelles et formelles du mobilier conçu par Michel Dallaire, qui répondent avec élégance et cohérence aux besoins de la Grande Bibliothèque. La table de travail, avec son plan incliné et son repose-pied, présente des qualités ergonomiques supérieures. Le câblage pour les réseaux informatique et électrique est camouflé dans le pied de la table afin de rejoindre le plancher surélevé. Des fauteuils accueillants, des chaises solides et confortables, des plans de travail flexibles qui évoquent le lutrin, de même qu'un éclairage doux correspondent bien aux besoins des utilisateurs. Bien qu'elles aient une forme contemporaine, les lampes, par leur couleur et leurs matériaux, offrent une référence aux bibliothèques classiques. Michel Dallaire a conçu un mobilier distinctif qui non seulement rend l'établissement accueillant et confortable, mais lui confère aussi un climat intérieur unique. À l'issue du concours, il résumait ainsi les lignes de force de ses créations : « Nous avons voulu relier notre vocabulaire visuel au domaine très particulier du livre et de l'écriture, afin de créer un environnement paisible et visuellement silencieux. Sur ce plan, l'intégration à l'architecture fut pour nous une préoccupation constante tout au long du développement des concepts. »

Au total, plus de 500 surfaces de lecture munies de lampes et plus de 850 chaises ont été produites. En plus de cette commande, Michel Dallaire

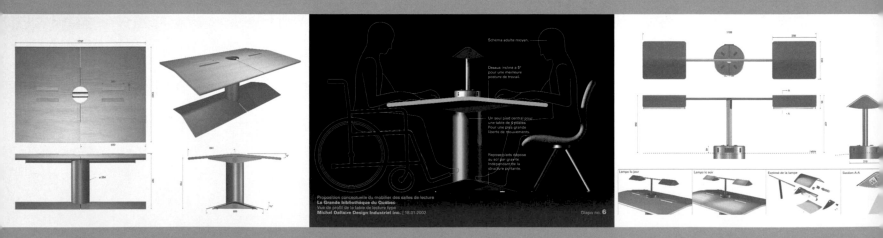

a été chargé de concevoir les postes informatiques et de microfiches, les modules pour l'écoute multimédia, les tables de conférence, le mobilier pour l'Espace Jeunes (tables, chaises, jeux, etc.) ainsi que le mobilier du bureau de la présidente-directrice générale. Toutes ces composantes sont des déclinaisons du mobilier en bois et en métal conçu dans le contexte du concours, ce qui crée une remarquable unité d'ensemble.

Michel Dallaire a contribué de façon importante à l'évolution du design au Québec, comme ses réalisations en témoignent. Il a, entre autres, conçu le mobilier des ateliers de la Faculté de l'aménagement de l'Université de Montréal, les fauteuils de l'amphithéâtre IBM de l'École des hautes études commerciales de Montréal ainsi que le mobilier urbain du Quartier international de Montréal. En 1991, le prix Paul-Émile Borduas, la plus haute distinction en arts visuels décernée par le gouvernement du Québec, lui a été attribué pour l'ensemble de son œuvre. Récipiendaire de nombreuses distinctions en Europe et aux États-Unis, Michel Dallaire Design inc. a reçu en 2003 le prix du design industriel et deux médailles d'or avec félicitations du jury au 31e Salon des inventions, des techniques et des produits nouveaux de Genève.

LES ESPACES DE LA GRANDE BIBLIOTHÈQUE
PLANS DES ÉTAGES

4. MUSIQUE ET FILMS

1 Musique et films

1 Postes d'écoute et de visionnement

1 Salles d'écoute et de visionnement

1 Salles de musique électronique

2 Collection nationale de musique

3 Services administratifs

3. HISTOIRE, SCIENCES HUMAINES ET SOCIALES

1 Sciences humaines et sociales

2 Histoire, géographie et biographies

3 Collection Saint-Sulpice

COLLECTION NATIONALE

4 Publications gouvernementales

4 Revues et journaux québécois

4 Cabinets de recherche

2. ÉCONOMIE, AFFAIRES, SCIENCES ET TECHNOLOGIES

1 Économie et affaires

1 Carrefour Affaires

1 Informatique

1 Langues

1 Sciences et technologies

2 Centre emploi-carrière

3 Logithèque

4 Cartes et plans

5 Collection multilingue

5 Laboratoire de langues

5 Collections pour les nouveaux arrivants

COLLECTION NATIONALE

6 Collections générales

1. ARTS ET LITTÉRATURE, COLLECTION NATIONALE

1 Arts et littérature

COLLECTION NATIONALE

2 Collection nationale (entrée principale)

3 Livres rares et microformes

R. REZ-DE-CHAUSSÉE

1 Comptoir d'accueil

1 Services aux personnes handicapées

1 Service québécois du livre adapté

2 Comptoirs d'abonnement, de prêt et de retour

3 Actualités et nouveautés

4 Revues et journaux

5 Auditorium

6 Boutique

7 Lien intérieur avec la station de métro Berri-UQAM

M. NIVEAU MÉTRO

1 Espace Jeunes

2 Théâtre Inimagimô

3 Centre québécois de ressources en littérature pour la jeunesse

4 Centre de conférences

5 Salle d'animation

6 Salle d'exposition

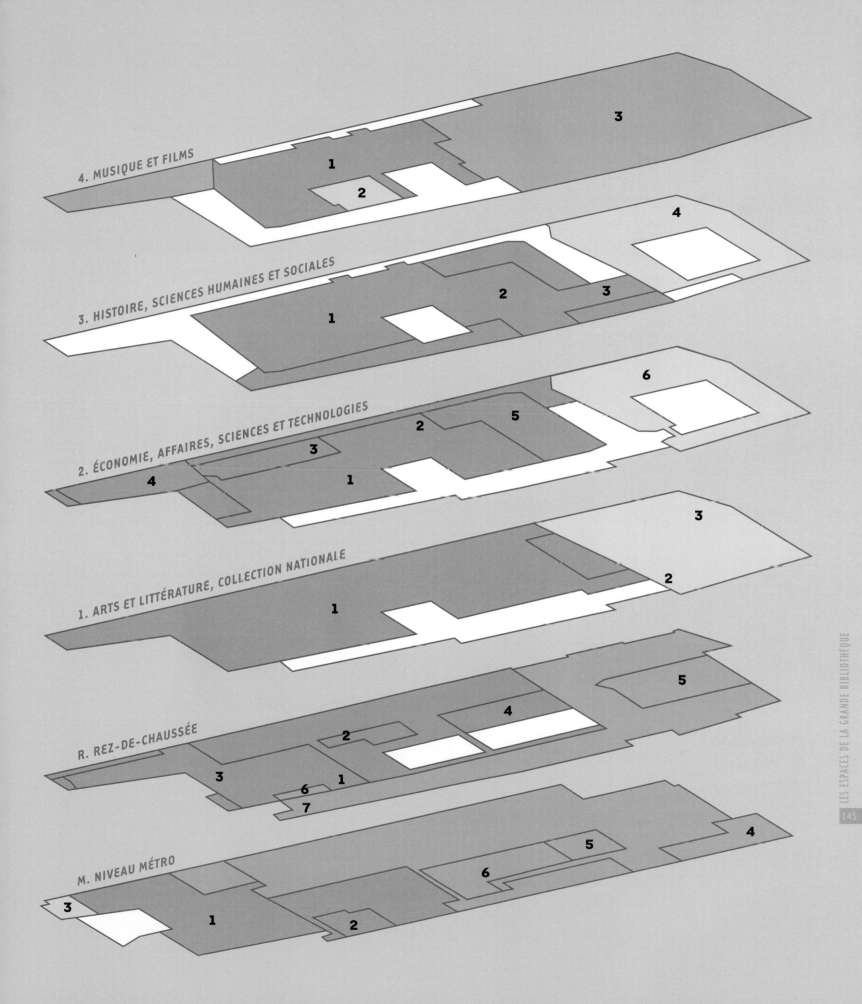

4. MUSIQUE ET FILMS

3. HISTOIRE, SCIENCES HUMAINES ET SOCIALES

2. ÉCONOMIE, AFFAIRES, SCIENCES ET TECHNOLOGIES

1. ARTS ET LITTÉRATURE, COLLECTION NATIONALE

R. REZ-DE-CHAUSSÉE

M. NIVEAU MÉTRO

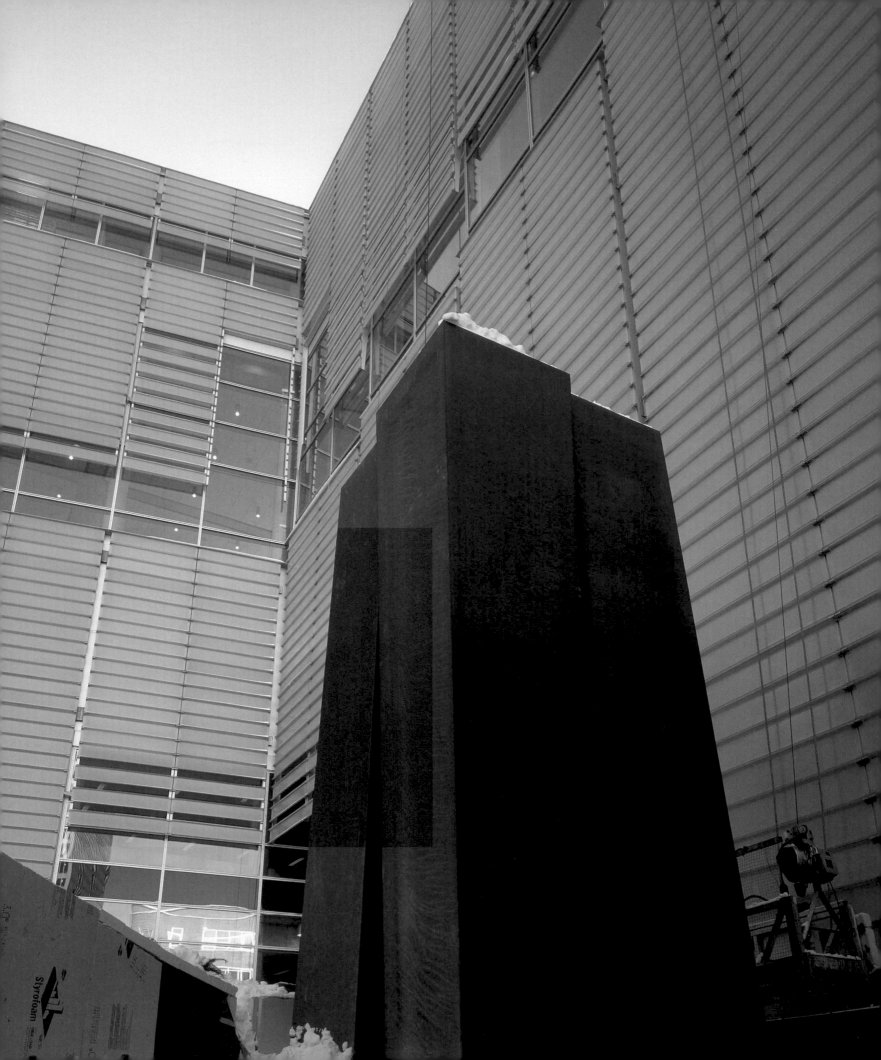

LA TOUCHE FINALE :
ŒUVRES D'ART ET JARDINS

LES ŒUVRES D'ART INTÉGRÉES À L'ARCHITECTURE

À l'occasion de la construction de l'édifice de la Grande Bibliothèque, le ministère de la Culture et des Communications et la Bibliothèque nationale du Québec ont lancé, en mai 2002, quatre grands concours nationaux dans le cadre de la Politique d'intégration des arts à l'architecture.

De gauche à droite, M. Jean-Pierre Morin (sculpture de l'entrée principale, boulevard De Maisonneuve); Mme Louise Viger (œuvre lumineuse au niveau métro); Mme Dominique Blain (œuvre de la façade de l'avenue Savoie); M. Jean Roy (directeur du Bureau de la planification et de la gestion de la construction); M. Jean-Laurent Bélanger représentant M. Roger Gaudreau (œuvres paysagères dans les jardins au nord de l'édifice).

Le principe de cette politique est de consacrer 1 % du budget de construction d'un nouvel édifice public à la valorisation de la création artistique au Québec.

Ces concours avaient donc pour but d'intégrer quatre œuvres d'art à quatre endroits stratégiques du bâtiment, en respectant un cahier des charges bien précis : sécurité, esthétisme, durabilité face aux intempéries, sans négliger l'aspect signalétique des œuvres. Douze artistes finalistes ont été invités à soumettre des projets, trois pour chacun des concours. Le jury du concours était composé de six personnes :

- Sylvie Alix, chef de la division des collections spéciales à la Bibliothèque nationale du Québec;
- Lise Bissonnette, présidente-directrice générale de la Bibliothèque nationale du Québec;
- Thomas Corriveau, spécialiste en arts visuels;
- Linda Covit, spécialiste en arts visuels;
- Yves Dagenais, architecte (Menkès Schooner Dagenais);
- Marie Perrault, chargée de projets au ministère de la Culture et des Communications.

Au terme du processus de sélection, quatre lauréats ont été désignés : Dominique Blain, Jean-Pierre Morin, Roger Gaudreau et Louise Viger.

ESPACE FRACTAL : UNE ŒUVRE SCULPTURALE DE JEAN-PIERRE MORIN À L'ENTRÉE PRINCIPALE, BOULEVARD DE MAISONNEUVE

La sculpture se situe dans la cour intérieure surbaissée de la Grande Bibliothèque. Elle sert donc de repère au niveau de la rue et de la mezzanine de la station de métro Berri-UQAM. Elle est le trait d'union entre la ville souterraine et la ville de surface, puisqu'elle prend racine au niveau du métro, s'élance le long de l'Espace Jeunes et termine sa course au niveau de la rue, sept mètres plus haut.

Voici comment Jean-Pierre Morin évoque la réflexion qui l'a mené à imaginer cette œuvre, baptisée *Espace fractal*.

« Le concept de base qui m'a guidé au cours de l'élaboration de ce projet demeure la signification, l'esprit même du lieu que constitue cette Grande Bibliothèque : lieu de savoir, lieu de transmission de connaissances. J'ai dans un premier temps travaillé sur l'aspect signalétique que doit comporter l'œuvre. Évidemment, l'emplacement proposé et la verticalité du site exigent une œuvre qui se déploie en hauteur. Au niveau du métro et de l'Espace Jeunes s'élèvent quatre prismes en acier qui semblent s'entrouvrir, disposés de façon à laisser filtrer la lumière entre chaque élément. Au niveau de la rue se déploie un élément en aluminium [...] qui peut suggérer entre autres l'idée d'éclatement, d'étincelles qui surgissent de

la ville souterraine. J'ai également tenu compte [...] de l'architecture du bâtiment et des matériaux qui le composent. L'aluminium, tout comme le verre, réfléchit hautement la lumière. Je trouvais important de conserver cet aspect lumineux et éclatant que donne le verre. L'acier corten est un matériau intéressant à cause de sa solidité, de sa texture et de sa couleur rougeâtre qui vient trancher avec la couleur du verre et l'élément en aluminium. [...] L'aspect signalétique de l'œuvre est de cette façon encore plus présent et accentué. »

INFORMER EN BEAUTÉ : *VOUS ÊTES ICI,* DE DOMINIQUE BLAIN, UN RAPPEL ARTISTIQUE SUR L'AVENUE SAVOIE

Cette œuvre signalétique intégrée à la façade de verre, située à l'intersection de l'avenue Savoie et de la place Paul-Émile-Borduas, est destinée à servir de repère pour les passants de la rue Saint-Denis, à embellir, à revitaliser et à mettre en valeur son environnement urbain.

Dominique Blain explique ainsi sa démarche : « Une phrase simple, universellement utilisée, qui se retrouve sur tous les plans de la ville et qui opère comme un logo, occupe le segment central de la paroi de verre : Vous êtes ici. Par ses proportions et sa luminosité, elle se voit à distance et se lit aussi bien de la rue Saint-Denis que de la place Paul-Émile-Borduas ou de l'avenue Savoie. Alors que cette phrase renvoie à ce qui est situé, localisé, pointé et désigne explicitement l'ici, la bibliothèque, la ville, la langue d'un pays, elle évoque implicitement qu'il y a aussi un ailleurs, un lointain, un autre. Sur l'ensemble du mur-rideau que constituent les trois principaux segments de fenestration, un motif se répète pour créer un effet de nombre et de diversité : celui de personnages qui marchent, traités en silhouettes. Le motif ouvre les possibilités du regard à un espace symbolique très étendu dans l'espace et dans le temps et suggère plus qu'il ne désigne des dimensions ethniques, culturelles ou raciales d'époques et d'attitudes diverses. »

METTRE L'ART EN LUMIÈRE : UNE ŒUVRE DE LOUISE VIGER DANS LE COULOIR DU MÉTRO

Cette composition lumineuse est située dans le couloir public du métro menant à la salle d'exposition de la Grande Bibliothèque et aux salles du centre de conférences. Le défi, pour l'artiste, consistait à concevoir un concept qui, au-delà des préalables esthétiques et signalétiques, puisse susciter l'intérêt dans une zone où la lumière naturelle est totalement absente. L'ensemble devait, de plus, se suffire à lui-même tout en permettant qu'y soient insérés, à long terme, des tableaux d'animation selon la nature des événements proposés dans l'édifice.

Voici comment Louise Viger présente sa création, intitulée *Voix sans bruit* : « À l'instar d'Albert Manguel et de son *Histoire de la lecture,* ma passion des livres me place en premier lieu du côté du lecteur. C'est donc à un genre de transport silencieux, mis en scène par la lumière, que je vous convie par le biais de l'artiste lecteur… Une œuvre de verre et de métal, mais surtout de lumière qui n'est pas uniquement un éclairage de service, mais un matériau incontournable et indispensable de sens. Une lumière contenue dans d'étroits couloirs aériens de verre, assemblés par centaines, côte à côte, dans l'ouverture de larges rectangles tapissés de métal, encastrés par paires dans l'épaisseur d'un mur qui emprunte la courbe d'une immense cage thoracique. Une ambiance sensorielle, sorte de "sonographe" du souffle marquant le flux et le reflux d'une respiration venue du fleuve des quatre mers. Objet de désir. Chute et ascension. »

L'œuvre occupe le mur sur une totalité de 27,5 mètres de longueur et 2 mètres de hauteur, et est éclairée à partir du centre vers le haut et vers le bas.

UN COIN DE NATURE URBAINE : DEUX ŒUVRES PAYSAGÈRES DE ROGER GAUDREAU DANS LES JARDINS DE LA GRANDE BIBLIOTHÈQUE

La création de ces deux œuvres s'inscrit dans une politique à long terme de Bibliothèque et Archives nationales du Québec, qui vise à constituer une collection permanente d'interventions paysagères contemporaines, au nord de l'édifice, inspirées des jardins communautaires de Montréal. Dans le cadre du concours d'intégration des arts à l'architecture, deux lots parmi les 29 espaces disponibles ont été aménagés. Ils constituent l'amorce d'une collection associant architecture, aménagement paysager, arts visuels et métiers de l'écriture, qui se complétera au fil des années, à raison d'un lot par année.

Roger Gaudreau parle ainsi de *Jardin PUNK,* la première de ses deux créations :
« Pour la conception de ce jardin, je me suis inspiré des photographies de la « Faune locale », de Yves Nantel, publiées dans la revue *Art Le Sabord* (numéro 58, avril 2001). Utilisant le piercing comme prétexte à la composition, je propose un alignement de trois pierres ornées, affublées des différents anneaux et broches que l'on retrouve sur les sourcils, dans le nez ou ailleurs sur le corps des adeptes de cette pratique. Elles sont déposées dans une allée de pierres plus petites. Cette allée est bordée par des plantes graminées alignées, pouvant suggérer les coiffures colorées que l'on retrouve dans ces milieux. Le premier rang est rouge et vert, le deuxième rang est plutôt bleuté. Ce jardin sera éclairé par deux petits luminaires dirigeables camouflés dans des pierres, accentuant la ligne centrale de la composition. »

Quant à sa deuxième œuvre, *Jardin de la forêt urbaine,* il en retrace en ces mots la genèse :
« Inspiré du magnifique livre *Des forêts et des hommes 1880-1982,* publié par les Archives nationales du Québec et les Publications du Québec, ce jardin est composé de cubes, de planches et de poutres placés à la verticale, la particularité de ces objets rectangulaires étant l'apparence des surfaces qui reproduisent fidèlement l'écorce de différents arbres. Cette forêt géométrique émerge d'un lit de genévriers. On y retrouvera la texture de l'écorce de cèdre, d'érable, d'épinette, de pin blanc et de pruche. Cette suggestion d'une forêt dont le feuillage est au sol et dont les troncs sont carrés nous parle de la mainmise de l'homme sur la nature. De plus, si l'on regarde l'ensemble de haut, il nous rappelle la ville avec ses immeubles et ses gratte-ciel. Ce jardin sera éclairé par des luminaires dissimulés sous les genévriers. »

L'AMÉNAGEMENT PAYSAGER ET LES JARDINS

L'édifice de la Grande Bibliothèque occupe en superficie environ la moitié du terrain appartenant à Bibliothèque et Archives nationales du Québec, qui est délimité par le boulevard De Maisonneuve au sud, la rue Berri à l'est, la rue Ontario au nord et l'avenue Savoie à l'ouest. Les surfaces libres ne sont donc pas négligeables et des aménagements paysagers sont là pour agrémenter, mettre en valeur et encadrer le bâtiment. Sur tout le pourtour, places publiques, cours, jardins et esplanades font partie intégrante de l'aménagement du site afin de l'intégrer au paysage urbain et à l'espace public environnant.

Près de l'entrée principale, boulevard De Maisonneuve, une esplanade de carrelage de béton dans laquelle sont intégrés des bacs de plantation surplombe la cour anglaise, cet espace surbaissé qui permet d'amener la lumière naturelle à l'Espace Jeunes, situé en rez-de-jardin. Cette cour est elle-même agrémentée d'arbustes plantés sur un versant en pente et abrite le socle de la sculpture monumentale en acier et en aluminium créée par Jean-Pierre Morin.

Du côté de la rue Berri, un large trottoir longe le hall d'entrée de l'édifice. La Ville de Montréal y prévoit l'aménagement de nouvelles plantations, tout le long de la piste cyclable, dans le cadre d'un projet de revitalisation de cette artère.

Du côté de l'avenue Savoie, qui présente davantage le caractère d'une ruelle typique de Montréal, des étalages de bouquinistes intégrés à la façade de l'immeuble seront ouverts durant la belle saison afin d'animer cet espace urbain. Sur cette avenue, dont la Ville de Montréal prévoit la réhabilitation, on trouve une entrée ouvrant sur la place Paul-Émile-Borduas, qui constitue un lien important avec le Quartier latin; c'est également de ce côté de l'édifice qu'est situé le débarcadère de la Grande Bibliothèque, espace de transit des livraisons nécessaires au bon fonctionnement de l'institution, ainsi que la sortie du stationnement.

C'est du côté nord de l'édifice, vers la rue Ontario, qu'ont été créés les principaux aménagements paysagers.
Pour concevoir ce lieu public, les architectes John et Patricia Patkau ont fait équipe avec l'architecte paysagiste François Courville et l'architecte Philippe Lupien de Schème inc.

Le concept d'aménagement retenu par les architectes prévoit, pour l'esplanade située juste au nord de l'édifice, un sectionnement de l'espace paysager en plusieurs petits lots à la manière d'un potager où l'on cultive des plantes maraîchères, couplé à un jardin de sculptures dont les œuvres pourraient être conçues dans le cadre de la Politique d'intégration des arts à l'architecture et à l'environnement des bâtiments et des sites gouvernementaux et publics. Ce découpage du terrain selon des formes géométriques plus ou moins régulières a finalement conduit à un jardin d'art constitué de 29 lots, de dimensions variables, représentant les 29 composantes du programme de la Grande Bibliothèque. Les lots de ce jardin recevront, à raison d'une par année, de nouvelles œuvres paysagères dont les thématiques seront liées à la Collection nationale. Ainsi, des artistes en arts visuels pourront-ils s'associer à un auteur ou s'inspirer d'une œuvre littéraire pour aménager l'un des lots. Les deux premiers jardins, œuvres de Roger Gaudreau, ont été aménagés au moment de la construction de l'édifice. Les autres constituantes de ce jardin évolutif s'ajouteront tout au long des trois premières décennies de la vie de la Grande Bibliothèque.

À l'extrémité nord du site, entre la voie d'accès au stationnement et la rue Ontario, les aménagements sont plus légers et possèdent davantage un caractère temporaire. Le site a été engazonné mais pourrait éventuellement accueillir une autre institution culturelle, ce qui aurait pour effet bénéfique de venir border les deux extrémités du jardin d'art. Sur cette esplanade ont été créées des buttes gazonnées sur lesquelles les passants ou les flâneurs pourront venir s'installer pour lire ou se reposer. Des arbres de provenances diverses, créant un petit arboretum, seront plantés pour leur procurer fraîcheur et ombrage.

La création de

la Grande Bibliothèque

1967 L'Assemblée nationale du Québec adopte une loi instituant la Bibliothèque nationale du Québec qui relève du ministère des Affaires culturelles. Les collections et les biens de la Bibliothèque Saint-Sulpice, située rue Saint-Denis à Montréal, constituent son premier fonds documentaire. Créée en 1915 par la Congrégation des Sulpiciens, cette bibliothèque avait été acquise par le gouvernement du Québec en 1941.

1968 Le Règlement sur le dépôt légal entre en vigueur le 1er janvier, obligeant pour la première fois les éditeurs québécois à déposer à la Bibliothèque nationale deux exemplaires de leurs œuvres imprimées. Les livres, brochures, journaux, revues, livres d'artistes et partitions musicales sont soumis à ce règlement.

1989 La loi constituant la Bibliothèque nationale du Québec en corporation entre en vigueur le 1er avril. Monsieur Philippe Sauvageau est nommé président-directeur général et le conseil d'administration, composé de neuf membres, entre en fonction. Votée en novembre 1988 par l'Assemblée nationale, cette loi confère une plus grande autonomie à l'institution.

1992 Un nouveau règlement de l'Assemblée nationale autorise l'élargissement du dépôt légal aux estampes originales, affiches, reproductions d'œuvres d'art, cartes postales, enregistrements sonores, logiciels, documents électroniques et microéditions.

1996 En décembre, le gouvernement met sur pied un comité, sous la présidence de monsieur Clément Richard, pour étudier la possibilité de créer au Québec une grande bibliothèque publique.

1997 **AVRIL** Le gouvernement inaugure le siège social et Centre de conservation de la Bibliothèque nationale. Situé rue Holt, dans le quartier Rosemont de Montréal, dans une ancienne usine de cigares, ce Centre répond aux standards les

plus stricts en matière de conservation des documents. Il constitue la première étape de relocalisation des collections et des services de la Bibliothèque nationale.

JUIN À la suite du dépôt du rapport Richard, qui conclut à la nécessité de construire une grande bibliothèque, le gouvernement nomme un conseil provisoire pour définir les besoins et le programme fonctionnel, les orientations législatives et les principes de protocoles entre la Bibliothèque nationale et la Bibliothèque centrale de Montréal.

NOVEMBRE Tenue d'une commission parlementaire sur le rapport Richard au cours de laquelle sont entendus 30 organismes et individus.

1998 **MARS** La ministre de la Culture et des Communications du Québec, madame Louise Beaudoin, dépose un projet de Politique de la lecture et du livre, dans lequel elle précise le rôle et les missions nationales de la Grande bibliothèque du Québec.

AVRIL Des audiences publiques sont tenues pour déterminer le site de construction de la nouvelle institution. Le site du Palais du Commerce à Montréal est recommandé par 70 % des participants.

MAI Le Conseil provisoire dépose un Programme des activités et des espaces de la Grande bibliothèque du Québec.

JUIN Le gouvernement opte pour le site du Palais du Commerce et l'Assemblée nationale adopte unanimement la loi constituant la Grande bibliothèque du Québec.

AOÛT Le Conseil des ministres nomme madame Lise Bissonnette à la présidence et

direction générale de la Grande bibliothèque du Québec; les membres du conseil d'administration sont également nommés.

SEPTEMBRE Le conseil d'administration approuve une entente de principe concernant l'embauche d'une équipe, soit le Bureau de la planification et de la gestion du projet de construction, dont le mandat est de planifier et de coordonner les activités liées à la construction de la Grande Bibliothèque.

1999 **NOVEMBRE** Le Bureau de la planification et de la gestion du projet de construction dépose un document intitulé *Orientation immobilière,* qui est adopté par le conseil d'administration. Le document propose notamment un programme fonctionnel détaillé, des orientations conceptuelles, un budget et un échéancier de réalisation, ainsi que la tenue d'un concours international d'architecture.

2000 **JANVIER** Le gouvernement du Québec adopte un décret autorisant notamment le budget de construction et le Programme des espaces et des besoins de la Grande bibliothèque du Québec. Celle-ci lance un concours international d'architecture.

AVRIL Le jury du concours sélectionne cinq finalistes parmi les 37 candidatures proposées. Les cinq équipes d'architectes disposent de deux mois pour élaborer un projet.

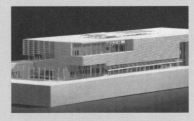

MAI Le protocole sur le transfert des collections de diffusion entre la Bibliothèque nationale du Québec et la Grande bibliothèque du Québec est signé, et une entente-cadre de négociation entre la Ville de Montréal, la Grande bibliothèque et le ministère de la Culture et des Communications est ratifiée.

JUIN L'équipe d'architectes Patkau/Croft-Pelletier/Gilles Guité de Vancouver et de Québec est déclarée lauréate du concours.

2001 **JUIN** Le gouvernement du Québec adopte la *Loi sur la Biblio-thèque nationale du Québec* fusionnant les activités de la Biblio-thèque nationale et de la Grande bibliothèque du Québec. Cette nouvelle société d'État porte le nom de Bibliothèque nationale du Québec. Elle hérite de deux mandats distincts : d'une part, l'acquisition, la conservation et la diffusion de la Collection nationale et, d'autre part, l'acquisition et la diffusion d'une collection de prêt grand public.

AOÛT Début de la première phase des travaux qui consiste en la préparation du site et la démolition du Palais du Commerce.

SEPTEMBRE Lancement du concours de design de mobilier.

NOVEMBRE Choix des cinq finalistes du concours de design de mobilier.

NOVEMBRE Début de la deuxième phase des travaux qui consiste en l'excavation et la construction des fondations du stationnement souterrain.

3 DÉCEMBRE Lancement officiel des travaux de construction en présence de M. Bernard Landry, premier ministre du Québec, et de madame Diane Lemieux, ministre de la Culture et des Communications.

2002 **JANVIER** Le designer montréalais Michel Dallaire est déclaré lauréat du concours de mobilier de la Grande bibliothèque.

MARS La nouvelle *Loi sur la Bibliothèque nationale du Québec* entre en vigueur et fait une seule institution de la Bibliothèque nationale du Québec et de la Grande bibliothèque du Québec.

MAI Lancement de quatre concours nationaux d'intégration des arts à l'architecture. Douze finalistes sont en lice.

OCTOBRE La firme Hervé Pomerleau inc. est choisie pour réa-liser la construction de l'édifice de la Grande Bibliothèque. La troisième phase des travaux débute par le montage de la structure en béton armé.

2003 **JUILLET** Dévoilement des quatre lauréats des concours d'intégration des arts à l'architecture. Il s'agit de Dominique Blain, Jean-Pierre Morin, Roger Gaudreau et Louise Viger.

AUTOMNE Début de l'installation de l'enveloppe de l'édifice et début des travaux intérieurs.

2004 **MARS** Début de la pose du parement extérieur en verre. Le travail se poursuit jusqu'en décembre 2004 au fur et à mesure de la production des plaques de verre.

MAI Le gouvernement du Québec annonce la fusion de la Bibliothèque nationale du Québec avec les Archives nationales du Québec, dans le cadre du Plan de modernisation de l'État présenté par le Conseil du Trésor.

NOVEMBRE Début de l'aménagement intérieur et de l'installation du mobilier.

DÉCEMBRE Déménagement graduel du personnel. La loi regroupant en une même institution la BNQ et les ANQ est adoptée.

2005 **JANVIER** Début du déménagement des quatre millions de documents provenant des collections de diffusion de la Bibliothèque nationale, des collections de la Bibliothèque centrale de Montréal et des collections nouvellement acquises.

29 AVRIL Inauguration officielle

30 AVRIL Ouverture de la Grande Bibliothèque au public.

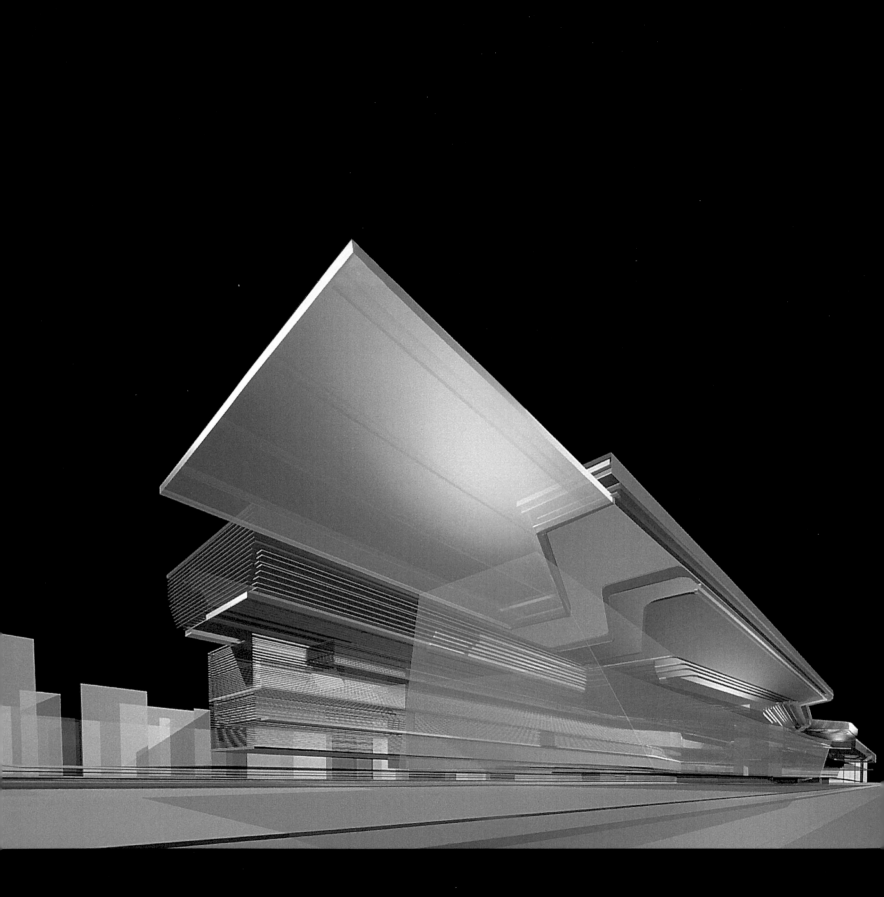

LES AUTRES PROJETS FINALISTES

ZAHA HADID ARCHITECTS (LONDRES)
BOUTIN RAMOISY TREMBLAY, ARCHITECTES (QUÉBEC)
MENTION SPÉCIALE DU JURY

Le projet soumis par l'équipe Zaha Hadid/ Boutin Ramoisy Tremblay se démarque par l'expressivité et la fluidité de son volume formé de différentes strates horizontales. Cette morphologie inusitée qui crée une diversité de perspectives visuelles s'exprime par de profondes « veines », ces grandes circulations qui irriguent les diverses composantes de l'édifice exprimées à la manière de crevasses et de déchirures dans la masse. L'espace de navigation à travers la bibliothèque, qui permet d'appréhender, en séquence, les grands pans de la connaissance que représentent les diverses collections, se ramifie à la manière d'un arbre. Ainsi, l'enchevêtrement des différents plans crée un treillis tridimensionnel de plus en plus léger à mesure qu'on s'élève. À la structure massive en béton des étages inférieurs se substitue une charpente d'acier plus légère aux derniers étages, permettant une percée importante de lumière naturelle filtrée par le toit. À l'angle du boulevard De Maisonneuve et de la rue Berri, un grand dégagement couvert par un spectaculaire toit en porte-à-faux permet d'exprimer la présence de la

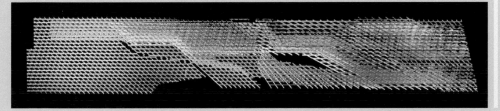

bibliothèque dans la ville. La pierre, le béton, le bois et le verre sont les principaux matériaux utilisés dans ce concept architectural à la fois éclaté et bien circonscrit.

Le jury a été particulièrement impressionné par

le travail de Zaha Hadid, cette architecte d'origine irakienne installée à Londres, qui ouvre de nouveaux modes d'appréhension de la bibliothèque, qui invite à l'aventure et à la découverte de nouveaux espaces. Rappelons que l'objet principal des travaux de la firme Zaha Hadid consiste en la conception d'édifices publics à vocation culturelle. Trois concours importants ont été remportés par cette firme au cours des dernières années : le Centre d'art contemporain à Cincinnati, le Centre contemporain d'art et d'architecture à Rome et le Centre des sciences à Wolfsburg, en Allemagne.

L'originalité de la proposition de l'Atelier Christian de Portzamparc réside dans la force de son concept urbain. Le projet est en fait une véritable métamorphose du site en une vaste promenade urbaine protégée servant d'espace d'orientation et d'accueil à la bibliothèque. Généreuse et audacieuse, cette proposition prend en compte l'ensemble de l'îlot urbain et contribue à la réflexion sur l'aménagement souhaitable des espaces publics à Montréal et sur

ATELIER CHRISTIAN DE PORTZAMPARC, ARCHITECTE (PARIS)
JEAN-MARC VENNE, DESIGNER (MONTRÉAL)
BIRTZ BASTIEN ARCHITECTES (MONTRÉAL)
BÉLANGER BEAUCHEMIN GALLIENNE MOISAN PLANTE, ARCHITECTES (QUÉBEC)
ÉLIZABETH DE PORTZAMPARC, ARCHITECTE D'INTÉRIEUR (PARIS)

leurs rapports au cadre bâti dans un climat aussi contrasté que celui du Québec. La bibliothèque devient ainsi un pôle urbain attractif, un lien majeur entre différents réseaux urbains, ce qui la rend attirante, accessible et conviviale. Les ruptures sont ténues entre l'extérieur et l'intérieur. Les matériaux de sol, le mobilier urbain, la végétation et les jardins se prolongent, sans interruption, dans les espaces publics intérieurs. La bibliothèque se concrétise en une vaste nef lumineuse qui s'ouvre largement sur le panorama de la ville. C'est dans cette immense enveloppe de verre climatisée, à ossature porteuse, que l'on retrouve quatre grandes coques renversées ou suspendues qui semblent flotter dans l'espace et qui contiennent les principales activités du programme. Baignés de lumière, ces volumes fluides qui contrastent par leur traitement architectural forment des lieux clos pour protéger les collections et pour offrir aux usagers des conditions de calme et de concentration. Ce projet est placé sous le thème de la transparence et de la lumière, de la perméabilité et des liaisons organiques avec le quartier.

Rappelons que l'Atelier Christian de Portzamparc a à son actif plusieurs réalisations devenues emblématiques de l'architecture contemporaine dont, parmi les plus récentes, la Tour Louis Vuitton Moët Hennessy à New York, la Cité de la Musique du Parc de la Villette à Paris et l'extension du Palais des Congrès à Paris.

Le parcours linéaire et très organisé dessiné pour la Grande Bibliothèque par le consortium FABG/GDL/N.O.M.A.D.E/ Kersalé/Baur est un diagramme fidèle du programme, dont une des grandes qualités est la souplesse d'organisation. Le parti pris de clarté est ici partout présent, selon une stratégie qui s'exprime dans tout le bâtiment, ce qui facilite grandement l'orientation du public qui retrouve dans l'espace la même logique que celle du rayonnage. Le traitement différencié des façades est et ouest contribue à accentuer le cœur de l'îlot, où est aménagé un coffret au sein duquel s'organisent les principales fonctions de la bibliothèque. Ainsi, les fonctions publiques et les aires de circulation se présentent du côté de la rue Berri; les espaces plus isolés, en retrait et propices à la lecture, se retrouvent du côté de l'avenue Savoie et les collections sont abritées entre les deux. Les concepteurs ont beaucoup joué avec les notions de filtres, de frontières et d'interfaces. D'un point de vue urbain, les façades du bâtiment sont alignées sur rue au périmètre de l'îlot, favorisant ainsi la continuité urbaine du bâti tout en créant quelques reculs stratégiques.

Rappelons que les membres de ce collectif ont signé, individuellement ou ensemble, plusieurs projets connus au Québec : le théâtre Espace Go, la rénovation du stade Jarry, le recyclage de l'immeuble du Monument national, la réhabilitation du site des Moulins (île de la Visitation), la Maison de la culture Pointe-aux-Trembles, le Centre de conservation de la Bibliothèque nationale du Québec et le Centre des sciences de Montréal (Vieux-Port).

FAUCHER AUBERTIN BRODEUR GAUTHIER, ARCHITECTES (MONTRÉAL)
GAUTHIER DAOUST LESTAGE, ARCHITECTES (MONTRÉAL)
N.O.M.A.D.E ARCHITECTURE (MONTRÉAL)
YANN KERSALÉ, PLASTICIEN LUMIÈRE (PARIS)
RUEDI BAUR, DESIGNER (PARIS)

SAUCIER + PERROTTE, ARCHITECTES (MONTRÉAL)
MENKÈS SHOONER DAGENAIS, ARCHITECTES (MONTRÉAL)
DESVIGNE & DALNOKY, PAYSAGISTES (PARIS)
GO MULTIMÉDIA INTÉGRATION TECHNOLOGIQUE (MONTRÉAL)

Le projet du consortium d'architectes Saucier + Perrotte/Menkès Shooner Dagenais/Desvigne & Dalnoky/Go Multimédia épouse avec subtilité chacune des nuances de la topographie du lieu en relation avec la trame même des implantations urbaines montréalaises à travers l'histoire. Au moment d'entrer dans la bibliothèque, l'œil s'élève vers une plaque de lumière vibrante qui marque la présence de la Collection nationale, cœur de la Grande Bibliothèque.

Le projet prévoit également des espaces publics et des jardins de différente nature, que l'on découvre au fil des déplacements dans l'édifice. Parvis, jardins intérieurs et extérieurs, cour et jardin suspendu s'échelonnent le long de l'axe nord-sud. Des plantations de bouleaux, répartis selon une densité croissante, font référence à une forme primitive du livre. Les concepteurs ont voulu exprimer la notion de mouvement dans les deux longues façades de l'édifice. La façade

rapide, rue Berri, évoque la vitesse et le déplacement de la circulation. Derrière la paroi vitrée, on peut observer le mouvement ascendant des visiteurs sur les escaliers roulants et les passerelles. La face extérieure, composée de lames de métal horizontales ou ondulantes, réfléchit le soir venu une lumière colorée en mouvement,

semblable à celle des véhicules qui passent. La façade lente, sur l'avenue Savoie, évoque le calme et la tranquillité du cœur de l'îlot et contient une grande partie des espaces de lecture baignés de lumière. De petits jardins aménagés sur cette façade créent des refuges, des lieux de recueillement.

Les firmes ici réunies ont réalisé, en commun ou avec d'autres partenaires, divers projets primés dont : la Cinémathèque québécoise, l'agrandissement et la rénovation de la Faculté de l'aménagement de l'Université de Montréal, le Collège Gérald-Godin (Montréal, secteur Sainte-Geneviève) et le siège social de l'Agence spatiale canadienne.

CHAPITRE III

Une Grande Bibl

M I C H È L E   L E F E B V R E

othèque pour le Québec

a Grande Bibliothèque appartient à tous les Québécois. Elle est bien sûr située sur le territoire de la ville de Montréal, qui concentre une forte population, mais l'institution vise à offrir de manière novatrice ses collections universelle et patrimoniale, ses services et son expertise à l'échelle du Québec.

Cette préoccupation se retrouvait déjà dans le rapport Richard : « Nous avons voulu imaginer une Grande Bibliothèque que ses ramifications virtuelles déploieraient jusque dans les plus petites villes du Québec et

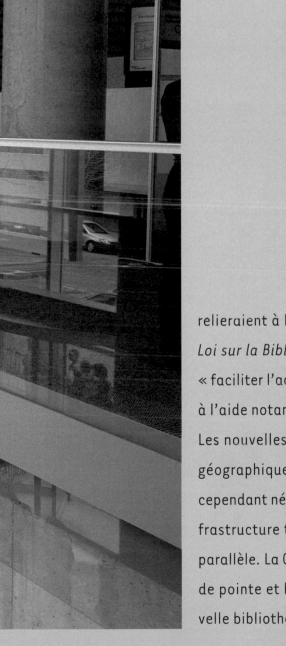

relieraient à l'ensemble de la Francophonie[23]. » Elle est inscrite dans la *Loi sur la Bibliothèque nationale du Québec,* qui s'engage notamment à « faciliter l'accès à [ses] collections à l'ensemble du territoire québécois à l'aide notamment des supports informatiques[24] ».

Les nouvelles technologies permettent en effet d'effacer les frontières géographiques et d'évoluer librement dans un monde immatériel. Il est cependant nécessaire d'ancrer dans un lieu physique approprié toute l'infrastructure technologique et les équipes qui donnent vie à cet univers parallèle. La Grande Bibliothèque abrite sous son toit le vaste équipement de pointe et la véritable fourmilière qui rendent possible sa toute nouvelle bibliothèque virtuelle.

LA BIBLIOTHÈQUE VOUS OFFRE SES TRÉSORS

POUR TOUS LES QUÉBÉCOIS

La Grande Bibliothèque ouvre d'abord la porte à des collections, car le patrimoine documentaire québécois que Bibliothèque et Archives nationales du Québec détient constitue une richesse collective inestimable qu'il faut faire connaître à tous ceux qui s'intéressent à la culture et à l'identité québécoises. Des milliers de documents, essentiellement patrimoniaux, ont donc été numérisés : livres, partitions musicales, illustrations, estampes, cartes géographiques, enregistrements sonores, revues, etc. Ces « étagères virtuelles » se garniront toujours plus au fil des ans.

Des instruments de découverte de l'édition québécoise sont aussi disponibles, entre autres la *Bibliographie du Québec,* qui recense l'ensemble des documents publiés au Québec, la liste des prix littéraires québécois, l'inventaire bibliographique des relations franco-québécoises de 1760 à nos jours et le *Bottin des éditeurs francophones canadiens.*

Mais Bibliothèque et Archives nationales du Québec ne se limite pas à offrir un accès amélioré à ses collections patrimoniales. Elle se veut une bibliothèque publique-ressource pour les Québécois de tous les âges, en prolongement de leur bibliothèque locale. Sur place, ils trouvent notamment plus d'un million de livres, des milliers de titres de revues et de journaux, et une vaste collection audiovisuelle. Ils peuvent aussi consulter sur son portail Internet des revues et journaux courants, des banques de données, des encyclopédies et d'autres ouvrages de référence électroniques ainsi que BREF, la bibliothèque de référence pour tous. Le catalogue en ligne est complété par une base de données de romans, qui permet de cibler finement des ouvrages en fonction des goûts de chacun.

Aujourd'hui, de nouveaux outils technologiques étendent l'offre de services et font pénétrer en quelque sorte le personnel de la Bibliothèque

dans les maisons. En plus de pouvoir s'abonner, réserver un document ou faire une demande de prêt entre bibliothèques à partir de chez eux, les Québécois pourront maintenant, sans quitter leur domicile, obtenir un service de référence, écouter des histoires en ligne, visiter une exposition ou assister à des séances de formation, tout comme s'ils se trouvaient dans la Bibliothèque.

POUR LES BIBLIOTHÈQUES

Sous le toit de la Grande Bibliothèque résident non seulement le cœur de services technologiques d'avant-garde offerts à tous les Québécois, mais également un centre de soutien aux milieux documentaires québécois, plus particulièrement aux bibliothèques publiques. À travers le renforcement du réseau des bibliothèques, ce sont les citoyens de tout le Québec qui voient leur accès au savoir et à l'information s'élargir.

Le besoin d'un organisme de coordination dans le domaine des bibliothèques québécoises n'est pas nouveau; il est exprimé par le milieu de façon récurrente depuis des décennies. L'État a endossé ce rôle à partir des années 1960 avec une énergie et une implication variables selon les époques. Cependant, les bibliothèques sont demeurées à la merci des restructurations de l'appareil gouvernemental et des priorités des différents gouvernements. La disparition de la Direction des bibliothèques publiques puis, plus récemment, de la Direction du livre, de la lecture et des bibliothèques publiques en sont des preuves éloquentes.

Déjà en 1987, le rapport Sauvageau condamne le désengagement du gouvernement dans le dossier des bibliothèques et souligne le besoin d'une structure nationale pour assurer une plus grande coordination du milieu. Il identifie également l'informatique comme un puissant instrument de rapprochement des bibliothèques, d'optimisation des ressources et de prestation de services novateurs d'information.

Dix ans plus tard, les signataires du rapport Richard se disent « convaincus que la Grande bibliothèque du Québec va contribuer à l'élaboration et au maintien d'un réseau documentaire cohérent et fort, sur l'ensemble du territoire[25] ».

Bibliothèque et Archives nationales du Québec manifeste sa fidélité à cet objectif à travers l'action d'une Direction des services aux milieux documentaires. Son équipe travaille à développer des services d'information, de documentation et de soutien professionnels aux bibliothèques sur place et à distance, principalement grâce à un réseau extranet destiné aux bibliothèques. Ces services incluent l'accès à une collection étendue de documents traitant de bibliothéconomie et des sciences de l'information (monographies, ouvrages de référence, articles de périodiques, littérature grise, dossiers thématiques, etc.), un service de référence et de soutien au personnel des bibliothèques publiques sur des questions professionnelles, des trousses d'information, un programme de formation, des guides d'utilisation de produits et un espace virtuel d'échange et de partage de l'expertise.

Par ailleurs, BAnQ souhaite soutenir le milieu en lançant des projets de coopération avec les bibliothèques publiques de tout le Québec. Ainsi, depuis 2003, le Consortium d'acquisition de ressources électroniques du Québec (CAREQ) se consacre à la négociation de licences collectives de ressources électroniques dans le but d'offrir aux meilleurs tarifs possibles des produits aux bibliothèques québécoises participantes. Un catalogue collectif unifié des bibliothèques québécoises et un service de référence virtuelle coopératif, permettant un partage élargi des ressources, constituent d'autres projets à l'étude.

La Grande Bibliothèque est bien sûr un lieu, une construction lumineuse de bois et de verre, qui peut faire la fierté de ses concepteurs. Mais son inauguration ne marque pas pour autant la fin du processus de création ; l'équipe de Bibliothèque et Archives nationales du Québec va continuer sans cesse à y œuvrer pour bâtir une vaste bibliothèque, sans murs cette fois, et ouverte à tous les vents du savoir.

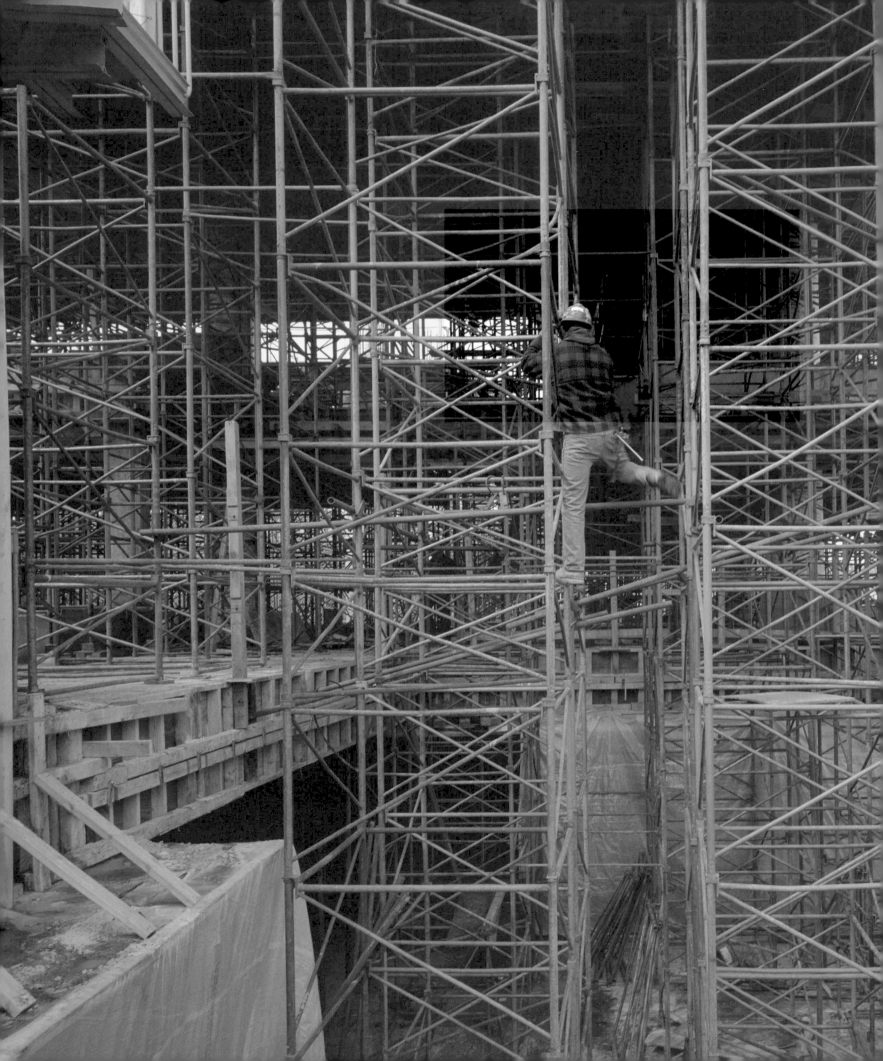

REMERCIEMENTS

Bibliothèque et Archives nationales du Québec souhaite exprimer sa gratitude à tous les acteurs du projet de la Grande Bibliothèque et, plus particulièrement, aux personnes, institutions et entreprises suivantes. Soulignons que les noms d'institutions et d'organismes se rapportent à la période de construction de la Grande Bibliothèque.

CADRES SUPÉRIEURS DE LA BIBLIOTHÈQUE NATIONALE DU QUÉBEC

Mme Lise Bissonnette; Mme Marie-Josée Benoit; Mme Caroline Bergeron; M. Alain Boucher; Mme Marie Boulet; Mme Louise Boutin; M. Claude Breault; Mme Danielle Chagnon; Mme Isabelle Charuest; M. Gilles Chauvin; Mme Maureen Clapperton; Mme France Delisle; Mme Sylvie Dion; M. Daniel Dubeau; Mme Marie-Josée Fiset; M. Claude Fournier; Mme Sylvie Fournier; Mme Monique Goyette; Mme Mireille Huneault; Mme Claudine Jomphe; Mme Monique Khouzam; M. Yvon-André Lacroix; Mme Marthe Lawrence; Mme Suzie Lévêque; M. Réal Martineau; Mme Dominique Michaud; Mme Danielle Poirier; M. Maurice René De Cotret; Me Ghislain Roussel; Mme Hélène Roussel; M. Robert St-Jean; Mme Louise Tessier; M. Jean-Guy Théorêt; M. Richard Thouin; Mme Maryse Trudeau

BAnQ remercie également tous les employés de l'institution et, de façon plus particulière, ceux qui ont participé de façon active au projet de Grande Bibliothèque.

BUREAU DE LA PLANIFICATION ET DE LA GESTION DU PROJET DE CONSTRUCTION

M. Jean Roy; Mme Diane Arcouette; Mme Anne-Joëlle Chamberland; M. Jacques Charbonneau; Mme Céline Leclerc; Mme Louise Leclerc; M. Hugo Lepage; M. Claude Rheault; M. Marc Robillard

MEMBRES DU CONSEIL D'ADMINISTRATION (GBQ ET BNQ, 1999 À 2005)

Mme Geneviève Bazin; Mme Johanne Belley; Mme Suzanne Bertrand-Gastaldy; M. Marc A. Boutet; M. Denis Boyer; Mme Carmen Catelli[†]; Mme Lise Cloutier; M. Antoine Del Busso; M. Jacques Desautels; Mme Hélène Fotopulos; M. Jacques Girard; Me André Goyer; Mme Louise Guillemette-Labory; Mme Anastassia Khouri; M. Serge Lamontagne; M. Daniel Langlois; Mme Denise Larouche; Mme Sylvie Lemieux; M. Jacques Michon; M. Pierre Morency; M. Jacques Panneton; M. Denis Regnaud; M. André Rousseau; M. Philippe Sauvageau; M. Réjean Savard; Mme Francine Senécal; M. Oleg Stanek; M. Jean-Guy Théoret; Me Michel Tourangeau; Mme Irene F. Whittome

COMITÉ SUR LE DÉVELOPPEMENT D'UNE GRANDE BIBLIOTHÈQUE

M. Clément Richard; Mme Odette Duplessis; M. Louis Gendreau; M. Jacques Panneton; M. Philippe Sauvageau; M. Réjean Savard

COMITÉ PROVISOIRE DE LA GRANDE BIBLIOTHÈQUE DU QUÉBEC

M. Clément Richard; M. Yves Martin; M. Jacques Panneton; M. Philippe Sauvageau; Mme France Vanlaethem; M. Jean-Paul Vézina

JURY DU CONCOURS INTERNATIONAL D'ARCHITECTURE

Mme Phyllis Lambert; M. Georges Adamczyck; Mme Lise Bissonnette; Mme Ruth Cawker; M. Yvon-André Lacroix; Mme Hélène Laperrière; Mme Mary Jane Long; M. Bernard Tschumi; Mme Irene F. Whittome

JURY DU CONCOURS DE DESIGN MOBILIER

Mme Lise Bissonnette; M. Bernard Lamarre; M. Jacques Coutu; Mme Marie-Josée Lacroix; M. Yvon-André Lacroix; M. Albert Leclerc; Mme Mary Jane Long; M. Richard Martel; M. John Patkau

JURY DES QUATRE CONCOURS NATIONAUX D'INTÉGRATION DES ARTS À L'ARCHITECTURE POUR LA GRANDE BIBLIOTHÈQUE

Mme Lise Bissonnette; Mme Sylvie Alix; M. François Cormier; M. Yves Dagenais; Mme Linda Covit; M. Thomas Corriveau; Mme Marie Perrault; M. Roland Poulin

PREMIERS MINISTRES DU QUÉBEC

M. Lucien Bouchard (1996-2001); M. Jean Charest (depuis 2003); M. Bernard Landry (2001-2003)

MINISTRES DU GOUVERNEMENT DU QUÉBEC

Mme Line Beauchamp, ministre de la Culture et des Communications (depuis 2003)
Mme Louise Beaudoin, ministre de la Culture et des Communications (1995-1998)
M. Claude Béchard, ministre de l'Emploi, de la Solidarité sociale et de la Famille (2003-2005)
M. Philippe Couillard, ministre de la Santé et des Services sociaux (depuis 2003)
Mme Michelle Courchesne, ministre des Relations avec les citoyens et de l'Immigration (2003-2005), ministre de l'Emploi et de la Solidarité sociale (depuis 2005)
M. François Legault, ministre de la Santé et des Services sociaux (2002-2003)
Mme Diane Lemieux, ministre de la Culture et des Communications (2001-2003)
Mme Agnès Maltais, ministre de la Culture et des Communications (1998-2001)
Mme Pauline Marois, ministre de la Santé et des Services sociaux (1998-2001)
Mme Lise Thériault, ministre de l'Immigration et des Communautés culturelles (depuis 2005)
M. Rémy Trudel, ministre des Relations avec les citoyens et de l'Immigration (2002-2003)

MINISTÈRE DE LA CULTURE ET DES COMMUNICATIONS

Mme France Amyot; Mme Christiane Barbe; Mme Monique Barriault; Mme Danielle Blanchet; M. Yvan Boisseau; Mme Françoise Cadieux; M. Normand Charbonneau;

Mme Danielle-Claude Chartré; M. Gilles Corbeil; M. Germain Courchesne; M. François Crête; M. Gilles Crochetière†; Mme Josée De Bellefeuille; M. Lucien Duperré; M. François Ferland; Mme Kim Fontaine Skronski; M. Michel Fortin; Mme Michelle Galarneau; Mme Christiane Gamache; M. Gérald Grandmont; Mme Linda Labrecque; M. Jacques Laflamme; M. Pierre Lafleur; Mme Josette Laurin; M. Guy Lessard; M. Pierre Lorentz; M. Harold Mailhot†; M. Réjean Martel; M. Jean-Marie Mongrain; M. Jacques Morrier; Mme Sylvie Paradis; Mme Suzanne Provost; M. Jocelyn Touchette; Mme Martine Tremblay; Mme Élizabeth Verge

MINISTÈRE DE L'EMPLOI ET DE LA SOLIDARITÉ SOCIALE - EMPLOI-QUÉBEC

M. Jean Desjardins; Mme Nicole Dumoulin; Mme Marjolaine Loiselle; M. Gilles Ouellet; Mme Marie-Michèle Paquette; Mme Dominique Savoie; M. André Trudeau; M. François Turenne

MINISTÈRE DES RELATIONS AVEC LES CITOYENS ET DE L'IMMIGRATION - MINISTÈRE DE L'IMMIGRATION ET DES COMMUNAUTÉS CULTURELLES

Mme Claire Chamberland; Mme Lyn Fleury; M. Jacques Leroux; Mme Alida Piccolo; Mme Raymonde Saint-Germain

MINISTÈRE DE LA SANTÉ ET DES SERVICES SOCIAUX

Mme Diane Bégin; M. Philippe Benoit; Mme Sylvie Lafrance; M. Pierre Michaud

OFFICE DES PERSONNES HANDICAPÉES DU QUÉBEC

Mme Anne Hébert; M. Norbert Rodrigue

SECRÉTARIAT DU CONSEIL DU TRÉSOR

Mme Denise Fortin; Mme Odette Paillé; Mme Micheline Piché; M. Richard Pouliot; M. Alain Rivest

SOCIÉTÉ IMMOBILIÈRE DU QUÉBEC

M. Vincent Biello; M. Marc-A. Fortier; M. Daniel Gilbert; Mme Francine Guérin; Me Charles Rondeau; M. Jean Vargas

SOCIÉTÉ PARC-AUTO DU QUÉBEC

M. Marc-A. Fortier; M. Denis Mercier

SOCIÉTÉ DE TRANSPORT DE MONTRÉAL

Mme Johanne Blain; M. Jean Mercier

VILLE DE MONTRÉAL

M. Robert Abdallah; M. Bertrand Bergeron; M. Gabriel Bodson; M. Danny Boudreau; M. Pierre Bourque; M. Claude Breault; Mme Françoise Caron; Mme Mireille Cliche; M. Stéphane Cloutier; M. Claude Côté; M. Guy Coulombe;

M. Pierre Dubé; Mme Rachel Laperrière; M. Jean Leclerc; M. Gilbert Lefebvre; Mme Marie Paquin; Mme Brigitte Raymond; Mme Michèle Régnier; Mme Danielle Rondeau; Mme Céline Topp; M. Gérald Tremblay

AGENCE DE DÉVELOPPEMENT DE RÉSEAUX LOCAUX DE SERVICES DE SANTÉ ET DE SERVICES SOCIAUX DE LA MONTÉRÉGIE

MILIEUX DE LA DOCUMENTATION, DE LA CULTURE ET DE L'ÉDUCATION

Association des archivistes du Québec; Association des bibliothécaires du Québec; Association des libraires du Québec; Association nationale des éditeurs de livres; Association pour l'avancement des sciences et des techniques de la documentation; Association professionnelle des techniciennes et techniciens en documentation du Québec; Association québécoise des parents d'enfants handicapés visuels; Cégep du Vieux Montréal; Coalition en faveur des bibliothèques scolaires; Comité interministériel sur le livre adapté; Communication-Jeunesse; Conférence des recteurs et des principaux des universités du Québec — sous-comité des bibliothèques; Conseil des arts et des lettres du Québec; Corporation des bibliothécaires professionnels du Québec; École de bibliothéconomie et des sciences de l'information de l'Université de Montréal; École nationale de théâtre du Canada; École supérieure de bibliothéconomie et sciences de l'information de l'Université McGill; Écomusée du fier monde; HEC Montréal; Institut canadien de Québec; Institut Nazareth et Louis-Braille; La Magnétothèque; Les Bibliothèques publiques du Québec; Maison Théâtre; Observatoire de la culture et des communications; Regroupement des aveugles et amblyopes du Québec; Réseaux Biblio du Québec; Société pour la Promotion des Sciences et de la Technologie; Table pour l'aménagement du Centre-Sud; Union des écrivaines et écrivains québécois; Université du Québec à Montréal; Voies culturelles des faubourgs

ENTREPRISES, PROFESSIONNELS ET CONSULTANTS[1]

ACMÉ; AGRA Monenco; André Desrosiers Designer; Archéotec inc.; Atelier Christian de Portzamparc/Elizabeth De Portzamparc/Jean-Marc Venne/Birtz Bastien/Bélanger Beauchemin Galienne Moisan Plante; Avantech; Bélanger Branding Design ltée; BiblioMondo - Isaacsoft; Biblio RPL; Blitz Technologies; Bouthillette Parizeau & Associés inc; Bouthillette Parizeau & Associés inc./ Groupe HBA experts-conseils; Cabinet d'architectes Amiot, Bergeron de Québec; Calculatec inc.; Centre de design de l'Université du Québec à Montréal; CFC; CGI; Champ Libre; CIO; Compugen Inc.; Confédération des Organismes de Personnes Handicapées du Québec; Consortium Godbout, Plante, Alavanthian; Consultants EXIM inc.; Croft-Pelletier architectes; CRSBP CQLM; Desjardins cabinet conseil; Desvigne & Dalnoky, paysagistes; Dibis inc.; DMR Conseil; Dury Consultants inc.; Éditions Fides; Expert conseil en sécurité Exces inc.;

FABG/GDL/N.O.M.A.D.E., Architectes; Fasken Martineau; FGI, consultants en programme d'aide aux employés; Fraser Milner Casgrain, Cabinet d'avocats; Gaz Métropolitain; Gestisoft; Go Multimédia, Intégration technologique et scénographie; Groupe conseil Continuum inc.; Groupe Conseil Savoie inc.; Groupe HBA experts-conseils; Groupe Pomerleau; Hadid Zaha/Boutin Ramoisy Tremblay Architectes; Hippo Design inc.; Hydro-Québec; Inspec-sol; Jean-Pierre Legault Acoustique; Jodoin, Lamarre, Pratte et associés; KPMG; La Société Bédelmar Ltée; La Société Biancamano Bonduc inc.; LCO; Le Groupe des sept, atelier d'architecture inc.; Les Consultants Géniplus inc.; Les Entreprises de construction Panzini; Les Presses de L'Université Laval; Loranger, Marcoux; LSD & Associés, Éclairage Multimédia Scénographie; Maison du Prêt d'Honneur; Marchand, Magnan, Melançon, Forget; MédiSolution; Menkes Shooner Dagenais Le Tourneux Architectes; Michel Dallaire Design Industriel inc.; Michèle Perryman inc.; Monette, Macek et associés, Arpenteurs-géomètres; Morelli Designers inc.; Musée Pointe-à-Callière; Nicolet, Chartrand, Knoll; Ordre des architectes du Québec; Patkau Architects; Péloquin, Prud'homme Assurances inc.; Provencher Roy, architectes; Raymond, Chabot, Grant, Thornton; Reliures Caron & Létourneau; Reliure Travaction; Robert P. Charrette, ingénieur, CVS; Sanigesco Plus inc; Saucier + Perrotte Architectes; Scéno Plus; SCHÈME Consultants inc.; Services documentaires multimédia; SNC Lavalin inc.; Société des Designers d'intérieur du Québec; Société de transport de Montréal; Société Logique; Studio Maurice Cloutier Designer; Systematix Conseillers en Technologies de l'information; Table multisectorielle pour l'aménagement du Centre-Sud; Transports Lacombe; Trisotech; Université Columbia, École d'architecture; Watson Poitevin Turcot Prévost

DOCUMENTAIRES *LA BIBLIOTHÈQUE ENTRE DEUX FEUX* ET *LA GRANDE BIBLIOTHÈQUE*

M. Luc Bourdon; M. Serge Cardinal; M. Bernard Fougères; Le Groupe Vivavision; M. Luc Harvey; M. Jean-Pierre Morin; Mme Luce Roy; Télé-Québec

LAURÉAT DU CONCOURS INTERNATIONAL D'ARCHITECTURE

Patkau/Croft-Pelletier/Gilles Guité Architectes

LAURÉAT DU CONCOURS DE DESIGN MOBILIER

Michel Dallaire Design Industriel inc.

LAURÉATS DU CONCOURS D'INTÉGRATION DES ARTS À L'ARCHITECTURE

Mme Dominique Blain; M. Roger Gaudreau; M. Jean-Pierre Morin; Mme Louise Viger

1 Plusieurs dizaines de consultants et de professionnels ont participé au projet de Grande Bibliothèque (bibliothécaires, informaticiens, graphistes, spécialistes en arts visuels, etc.). Ils sont trop nombreux pour en dresser la liste complète; BAnQ tient toutefois à souligner leur professionnalisme, leur expertise et, surtout, leur grande disponibilité.

BIBLIOGRAPHIE

OUVRAGES / MONOGRAPHIES

■ BIBLIOTHÈQUE NATIONALE DU QUÉBEC. *La nouvelle Bibliothèque nationale du Québec. Les rayonnements de la mémoire.* Montréal, Bibliothèque nationale du Québec, 2002.

■ BIBLIOTHÈQUE NATIONALE DU QUÉBEC. *Le siège social et le centre de conservation de la Bibliothèque nationale du Québec.* Montréal, Bibliothèque nationale du Québec, 1997.

■ BISBROUCK, Marie-Françoise. *La bibliothèque dans la ville. Concevoir, construire, équiper (avec vingt réalisations récentes).* Paris, Éditions du Moniteur, 1985.

■ GATTÉGNO, Jean. *La Bibliothèque de France à mi parcours. De la TGB à la BN bis ?* Paris, Éditions du Cercle de la Librairie, 1992.

■ HÉBERT, Anne. *Les chambres de bois.* Paris, Éditions du Seuil, 1958.

■ JACQUES, Michel (dir.). *Bibliothèque nationale de France 1989-1995. Dominique Perrault, architecte.* Paris, Artémis et arc en rêve centre d'architecture/Brikhauser, [1995].

■ LASSONDE, Jean-René. *La bibliothèque Saint-Sulpice 1910-1931.* Montréal, Bibliothèque nationale du Québec, 2001.

■ *Loi sur la Bibliothèque nationale du Québec,* L.R.Q., chapitre B-2.2. Québec, Éditeur officiel du Québec, 2002.

■ *New Library Buildings of the World.* Shanghai, Shanghai Scientific & Technological Publishing House, 2003.

■ PATAUT, Fabrice (dir.). *La nouvelle bibliothèque d'Alexandrie.* Paris, Buchet/Chastel, 2003.

■ *Patkau Architects.* Barcelona, Gustavo Gili, 1997.

■ *Patkau Architects : projects, 1978-1990.* Vancouver, Fine Arts Gallery, University of British Columbia, 1990.

■ *Patkau Architects. Selected Projects 1983-1993.* Halifax, Tuns Press, 1994, coll. « Documents in Canadian Architecture ».

■ RENOULT, Daniel et Jacqueline MELET-SANSON (dir.). *La Bibliothèque nationale de France. Collections, services, publics.* Paris, Éditions du cercle de la Librairie, 2001.

■ STASSE, François. *La véritable histoire de la Grande Bibliothèque.* Paris, Éditions du Seuil, 2002.

RAPPORTS

■ BISSONNETTE, Lise. *La GBQ : concept, bâtiment, site. Quelques notes de la présidente-directrice générale, Lise Bissonnette, en préalable à la deuxième phase du Concours international d'architecture.* Montréal, La Grande bibliothèque du Québec, 2000.

■ LA GRANDE BIBLIOTHÈQUE DU QUÉBEC. *Programme des activités et des espaces.* Montréal, s.n., janvier 2000.

■ LA GRANDE BIBLIOTHÈQUE DU QUÉBEC. *Projet de la Grande Bibliothèque du Québec. Orientation immobilière.* Montréal, s.n., novembre 1999.

■ RICHARD, Clément. *Une grande bibliothèque pour le Québec.* Rapport du comité sur le développement d'une grande bibliothèque (rapport Richard). Québec, s.n., juillet 1997.

■ SAUVAGEAU, Philippe et Jean-Guy THÉORET. *La Grande Bibliothèque du Québec. Critères pour la sélection d'un site.* Montréal, Bibliothèque nationale du Québec, janvier 1998.

■ SOCIÉTÉ IMMOBILIÈRE DU QUÉBEC. *La Grande Bibliothèque du Québec. Étude pour le choix d'un site. Évaluation des sites potentiels.* Montréal, s.n., mars 1998.

PÉRIODIQUES

■ « Concours international d'architecture. La grande bibliothèque du Québec », dans *ARQ*, n° 112, août 2000, p. 7-22 [cahier spécial détachable].

■ « La bibliothèque en projet », dans *ARQ*, n° 104, p. 5-21 [numéro spécial sur l'architecture des bibliothèques].

■ « La Grande Bibliothèque du Québec. Concours de design de mobilier », dans *Intérieurs*, n° 21, février-mars 2002, p. 6.

■ « Menkès Shooner Dagenais, architectes. Les dimensions de l'architecture », dans *Extérieurs*, n° 1, novembre 2000, p. 3-43.

■ « Michel Dallaire Design industriel », dans *Intérieurs*, n° 26, septembre-octobre 2003, p. 64.

■ « On the Boards. Patkau Architects (with Croft-Pelletier and Gilles Guité), Central Library of Quebec, Montreal, Canada », dans *Architecture*, octobre 2000, p. 50-51.

■ « Où en est la GBQ ? », dans *Intérieurs*, n° 5, février 1998, p. 12.

■ « Projects. Grande bibliothèque selected », dans *Canadian Architect*, vol. 45, n° 8, août 2000, p. 7.

■ ARCOUETTE, Diane. « La Grande Bibliothèque, bâtiment de diffusion de la Bibliothèque nationale du Québec », dans *À rayons ouverts*, n° 58, décembre 2003, p. 7.

■ ARCOUETTE, Diane. « Les aménagements extérieurs de la Grande Bibliothèque », dans *À rayons ouverts*, n° 61, automne 2004, p. 36-37.

■ ARCOUETTE, Diane. « Parement extérieur et chambres de bois : esthétique et innovation à la Grande Bibliothèque », dans *À rayons ouverts*, n° 60, été 2004, p. 34-35.

■ ARCOUETTE, Diane. « Progression du chantier de la Grande Bibliothèque », dans *À rayons ouverts*, n° 59, printemps 2004, p. 24-25.

■ DESLAURIERS, Pierre. « Le mobilier de la Grande Bibliothèque en concours », dans *Intérieurs*, n° 22, avril-mai 2002, p. 74-77.

■ THEODORE, David. « Competing Visions », dans *Canadian Architect*, vol. 45, n° 10, p. 22-26.

ARTICLES DE PRESSE

■ « Grande bibliothèque du Québec à Montréal. Deux clans s'affrontent », dans *Le Soleil*, 6 avril 1998.

■ « Grande bibliothèque du Québec : Feu vert au projet avec un ajout de 10 millions $ au coût initial », dans *Le Soleil*, 22 janvier 2000, p. A23.

■ CARDINAL, François. « La Grande Bibliothèque. Les nouveaux temples de la culture » et « Recoudre le tissu urbain grâce à la Bibliothèque », dans *La Presse*, 9 janvier 2005.

■ GILBERT, Mario. « Deux architectes québécois sur les rangs. On connaîtra fin juin l'allure de la Grande bibliothèque du Québec », dans *Le Soleil*, 11 avril 2000.

■ GIRONNAY, Sophie. « Croft Pelletier, seigneurs de la côte », dans *La Presse*, 26 février 2002, p. B7.

■ LÉVESQUE, Lia. « Landry lance les travaux de construction de la Grande bibliothèque », dans *Le Soleil*, 4 décembre 2001.

■ MONTPETIT, Caroline. « Concours d'architecture de la Grande Bibliothèque du Québec : Les finalistes sont connus ; Deux groupes québécois parmi les cinq choisis », dans *Le Devoir*, 11 avril 2000.

■ MONTPETIT, Caroline. « Une œuvre de cuivre, de bois et de granit. Des architectes de Vancouver remportent le concours de la GBQ », dans *Le Devoir*, 30 juin 2000.

■ PAGEAU, Mélanie. « La Grande bibliothèque : Gabrielle-Roy comme modèle », dans *Le Soleil*, 2 juillet 2000, p. A1.

■ PARENT, Rollande. « Grande bibliothèque : Du boulot pour des architectes de Québec et de Vancouver », dans *Le Soleil*, 30 juin 2000.

■ PAQUET, Stéphane. « Grande bibliothèque : Les coûts montent », dans *Le Soleil*, 28 novembre 2002.

NOTES

1 « La bibliothèque civique », *La Presse,* 30 avril 1903, p. 2.

2 Commission royale d'enquête sur les problèmes constitutionnels, *Rapport,* Québec, la Commission, 1956, vol. 3, tome 2, p. 237.

3 Juliette Chabot, *Montréal et le rayonnement des bibliothèques publiques,* Montréal, Fides, 1963.

4 Claude Aubry et Laurent-G. Denis, *Rapport de l'étude des bibliothèques publiques de la région de Montréal,* Québec, Ministère des Affaires culturelles, Service des bibliothèques publiques, 1976, p. 1.

5 Commission d'étude sur les bibliothèques publiques du Québec, *Rapport, Les bibliothèques publiques, une responsabilité à partager,* Québec, 1987.

6 René Garneau, *Inventaire de la Bibliothèque Saint-Sulpice — 1939.* Rapport adressé à l'honorable Oscar Drouin, ministre du Commerce et de l'Industrie du Québec, 24 juin 1940, p. 1.

7 Jean-René Lassonde, « La Bibliothèque nationale du Québec, notre mémoire documentaire depuis vingt ans », *Documentation et bibliothèques,* vol. 33, n° 4, oct.-déc. 1987, p. 114.

8 Commission royale d'enquête sur les problèmes constitutionnels, *Rapport,* Québec, la Commission, 1956, vol. 3, tome 2, p. 282.

9 Philippe Sauvageau (sous la dir.), *La nouvelle Bibliothèque nationale du Québec : programme des besoins,* Montréal, Bibliothèque nationale du Québec, 1990.

10 Comité sur le développement d'une très grande bibliothèque, *Rapport. Une grande bibliothèque pour le Québec,* Gouvernement du Québec, 1997, p. 44.

11 Comité sur le développement d'une très grande bibliothèque, *Rapport. Une grande bibliothèque pour le Québec,* Gouvernement du Québec, 1997, p. 73.

12 Michel Melot, coauteur du rapport sur le projet de construction de la Très Grande Bibliothèque française.

13 Nationale : 45 %; Centrale : 33 %; nouvelles acquisitions : 20 %; Service québécois du livre adapté : 2 %.

14 L.R.Q., chapitre B-2.2, *Loi sur la Bibliothèque nationale du Québec,* chap. II, art. 14.

15 Clément Richard, *Une grande bibliothèque pour le Québec.* Rapport du comité sur le développement d'une grande bibliothèque, Québec, s.n, juillet 1997.

16 *La Grande bibliothèque du Québec, Programme des activités et des espaces,* s.n, Montréal, mai 1998.

17 L'équipe du Bureau de construction réunissait Jean Roy, Jacques Charbonneau, Diane Arcouette, Claude Rheault et Marc Robillard.

18 *Projet de la Grande bibliothèque du Québec, Orientation immobilière,* Montréal, s.n, novembre 1999.

19 Société immobilière du Québec, *Étude pour le choix d'un site. Évaluation des sites potentiels,* Montréal, s.n, mars 1998.

20 Philippe Sauvageau et Jean-Guy Théôret, *La Grande bibliothèque du Québec, critères pour la sélection d'un site,* Montréal, Bibliothèque nationale du Québec, janvier 1998.

21 « Concours international d'architecture. La Grande bibliothèque du Québec », dans *ARQ,* n° 112, août 2000, p. 7-22 (cahier spécial détachable).

22 *Patkau Architects : projects, 1978-1990,* Vancouver, Fine Arts Gallery, University of British Columbia, 1990; *Patkau Architect. Selected projects 1983-1993,* Halifax, Tuns press, 1994, coll. « Documents in Canadian Architecture »; Patkau Architects, Barcelona, Gustavo Gili, 1997.

23 Comité sur le développement d'une très grande bibliothèque, *Rapport. Une grande bibliothèque pour le Québec,* Gouvernement du Québec, 1997, p. 74.

24 L.R.Q., chapitre B-2.2, *Loi sur la Bibliothèque nationale du Québec,* chap. II, art. 15.2.

25 Comité sur le développement d'une très grande bibliothèque, *Rapport. Une grande bibliothèque pour le Québec,* Gouvernement du Québec, 1997, p. 73.

TABLE DES MATIÈRES

Achevé d'imprimer en avril 2006
sur les presses de l'imprimerie J. B. Deschamps inc. à Beauport (Québec).